COLLECTION PARCOURS
Sous la direction de M

CONTES RÉALISTES ET CONTES FANTASTIQUES

DE

GUY DE MAUPASSANT

Texte intégral

SUIVI D'UNE ÉTUDE DE L'ŒUVRE

PAR

JOSÉE BONNEVILLE

ENSEIGNANTE AU CÉGEP DE SAINT-LAURENT

Beauchemin

CONTES RÉALISTES ET CONTES FANTASTIQUES DE
GUY DE MAUPASSANT
TEXTE INTÉGRAL
SUIVI D'UNE ÉTUDE DE L'ŒUVRE PAR JOSÉE BONNEVILLE
COLLECTION «PARCOURS D'UNE ŒUVRE» SOUS LA DIRECTION
DE MICHEL LAURIN

© 1999   Groupe Beauchemin, éditeur ltée
          7001, boul. Saint-Laurent
          Montréal (Québec) H2S 3E3
          Téléphone :   (514) 273-1066
                        1 800 565-5531
          Télécopieur : (514) 276-0324
          info@cheneliere.ca

Nous reconnaissons l'aide financière du gouvernement du Canada
par l'entremise du Programme d'aide au développement de l'industrie
de l'édition (PADIÉ) pour nos activités d'édition.

ISBN : 2-7616-0995-6

Dépôt légal : 4ᵉ trimestre 1999
Bibliothèque nationale du Québec   Imprimé au Canada
Bibliothèque nationale du Canada   6   06

Supervision éditoriale : PIERRE DESAUTELS
Production : CAROLE OUIMET
Révision linguistique : GUY BONIN
Conception graphique : MARTIN DUFOUR, a.r.c.
Conception et réalisation de la couverture : CHRISTINE DUFOUR
Mise en pages : TREVOR AUBERT JONES
Correction d'épreuves : JACINTHE CARON
Impression : Imprimeries Transcontinental

À mes fils, Mathieu et Sébastien.

REMERCIEMENTS :

Je salue amicalement Penny Benarrosh qui, la première,
a eu l'idée de ce livre.

Je remercie vivement Claude Gonthier qui a généreusement
lu et annoté le manuscrit et dont les pertinentes remarques
m'ont été précieuses.

Je remercie également, pour m'avoir prêté des documents
et des livres qui m'ont été grandement utiles,
Marie-Thérèse Bataïni, Chantal Saint-Jarre, Lyne Savard,
ainsi que Penny Benarrosh et Claude Gonthier.

Merci enfin à Michel Laurin et à Pierre Desautels sans qui
ce livre n'aurait pu paraître.

Table des matières

Guy de Maupassant.

Si Maupassant vivait aujourd'hui

Maupassant reste terriblement actuel. Malheureusement !... Car les travers qu'il dénonce, s'ils sont
de son temps, ressemblent désespérément aux
nôtres : l'égoïsme, la lâcheté, l'hypocrisie et la bêtise existent
toujours. Si Maupassant vivait aujourd'hui, il continuerait
de les débusquer avec son sens de l'observation aiguisé et de
les pourfendre avec son ironie cinglante. Car, mieux que
quiconque, il connaît l'art d'arracher les masques.

Si Maupassant vivait aujourd'hui, lui qui détestait la
guerre, il serait horrifié par le désastreux bilan du XXe siècle à ce chapitre et il ne pourrait que faire répéter son cri
d'indignation à Mme Follenvie, l'aubergiste de *Boule de
Suif* : «Vraiment, n'est-ce pas une abomination de tuer des
gens, [...] ?».

Si Maupassant vivait aujourd'hui, au Québec, il ricanerait
à la vue des personnages de Claude Meunier, lui qui a souvent
dénoncé la médiocrité et tourné en dérision la «petite vie»
des fonctionnaires et des petits-bourgeois, lui qui, dans *La
Parure*, montre la tragique impossibilité d'y échapper.

Si Maupassant vivait aujourd'hui, il ne pourrait que
refaire cette désespérante constatation du narrateur du
Horla : «Nous sommes si infirmes, si désarmés, si ignorants,
si petits, nous autres, sur ce grain de boue qui tourne délayé
dans une goutte d'eau.» Car, même si l'être humain a posé
le pied sur la Lune, il ressent toujours cruellement son
ignorance et sa petitesse devant l'immensité de l'univers.

Si Maupassant vivait aujourd'hui, enfin, il ne pourrait
que reprendre les questions que posent ses contes, puisque le
XXe siècle, malgré ses efforts, n'a pas réussi à y répondre : comment remédier aux injustices sociales ? Les extraterrestres
existent-ils ? Où se situe la frontière entre la folie et la
«normalité» ? Si Dieu n'existe pas, quel est le sens de la vie ?...

Décidément, Maupassant reste terriblement actuel.

GUY DE MAUPASSANT

Boule de Suif

Dessins de JEANNIOT

Reproduction en noir de la couverture.

Un volume
gr. in-16 jé·

Boule de Suif

Pendant plusieurs jours de suite des lambeaux d'armée
en déroute avaient traversé la ville. Ce n'était point de la
troupe, mais des hordes débandées[1]. Les hommes avaient la
barbe longue et sale, des uniformes en guenilles, et ils
5 avançaient d'une allure molle, sans drapeau, sans régiment.
Tous semblaient accablés, éreintés, incapables d'une pensée
ou d'une résolution, marchant seulement par habitude, et
tombant de fatigue sitôt qu'ils s'arrêtaient. On voyait
surtout des mobilisés[2], gens pacifiques, rentiers tranquilles,
10 pliant sous le poids du fusil; des petits moblots[3] alertes,
faciles à l'épouvante et prompts à l'enthousiasme, prêts à
l'attaque comme à la fuite; puis, au milieu d'eux, quelques
culottes rouges[4], débris d'une division moulue dans une
grande bataille; des artilleurs sombres[5] alignés avec ces
15 fantassins divers; et, parfois, le casque brillant d'un dragon[6]
au pied pesant qui suivait avec peine la marche plus légère
des lignards[7].

Des légions de francs-tireurs[8] aux appellations héroïques:
«les Vengeurs de la Défaite — les Citoyens de la Tombe —
20 les Partageurs de la Mort» passaient à leur tour, avec des airs
de bandits.

---

1 *hordes débandées*: troupes désorganisées, dispersées.
2 *mobilisés*: hommes de l'armée de réserve appelés pour la guerre.
3 *moblots*: terme d'argot qui désigne les soldats de la Garde nationale mobile,
  formation qui ne faisait pas partie de l'armée régulière.
4 *culottes rouges*: soldats de l'infanterie. Ils portaient des pantalons rouges.
5 *artilleurs sombres*: soldats responsables du matériel de guerre. Leur uniforme
  était gris.
6 *dragon*: soldat de la cavalerie qui portait un casque à crinière.
7 *lignards*: terme familier qui désigne les soldats de l'infanterie qui combattent en
  ligne.
8 *francs-tireurs*: «francs» a le sens de «libres». Les «tireurs libres» ne font pas partie
  de l'armée régulière. D'origine bourgeoise et révolutionnaire, ils se donnent des
  noms provocants. Leurs manœuvres sont souvent imprévisibles.

Leurs chefs, anciens commerçants en draps[1] ou en graines, ex-marchands de suif ou de savon, guerriers de circonstance, nommés officiers pour leurs écus ou la longueur de
25 leurs moustaches, couverts d'armes, de flanelle[2] et de galons, parlaient d'une voix retentissante, discutaient plans de campagne, et prétendaient soutenir seuls la France agonisante sur leurs épaules de fanfarons ; mais ils redoutaient parfois leurs propres soldats, gens de sac et de corde[3], souvent braves
30 à outrance, pillards et débauchés.

Les Prussiens allaient entrer dans Rouen, disait-on.

La Garde nationale[4] qui, depuis deux mois, faisait des reconnaissances très prudentes dans les bois voisins, fusillant parfois ses propres sentinelles, et se préparant au
35 combat quand un petit lapin remuait sous des broussailles, était rentrée dans ses foyers. Ses armes, ses uniformes, tout son attirail meurtrier, dont elle épouvantait naguère les bornes des routes nationales à trois lieues à la ronde, avaient subitement disparu.

40 Les derniers soldats français venaient enfin de traverser la Seine pour gagner Pont-Audemer par Saint-Sever et Bourg-Achard[5] ; et, marchant après tous, le général, désespéré, ne pouvant rien tenter avec ces loques disparates, éperdu lui-même dans la grande débâcle d'un peuple habitué à vaincre
45 et désastreusement battu malgré sa bravoure légendaire, s'en allait à pied, entre deux officiers d'ordonnance[6].

Puis un calme profond, une attente épouvantée et silencieuse avaient plané sur la cité. Beaucoup de bourgeois

---

1 *draps* : tissus de laine feutrée.
2 *flanelle* : tissu de laine légère.
3 *gens de sac et de corde* : bandits, scélérats. Par allusion au sac dans lequel on enfermait certains malfaiteurs et à la corde avec laquelle on les pendait.
4 *Garde nationale* : milice composée de civils de 25 à 50 ans chargés de défendre leur ville. Elle ne fut pas très efficace.
5 Petites villes de Normandie, au sud-ouest de Rouen.
6 *officiers d'ordonnance* : cavaliers servant de messagers à un officier supérieur.

bedonnants, émasculés[1] par le commerce, attendaient anxieu-
sement les vainqueurs, tremblant qu'on ne considérât comme
une arme leurs broches à rôtir ou leurs grands couteaux de
cuisine.

La vie semblait arrêtée ; les boutiques étaient closes, la rue
muette. Quelquefois un habitant, intimidé par ce silence,
filait rapidement le long des murs.

L'angoisse de l'attente faisait désirer la venue de l'ennemi.

Dans l'après-midi du jour qui suivit le départ des troupes
françaises[2], quelques uhlans[3], sortis on ne sait d'où, traver-
sèrent la ville avec célérité. Puis, un peu plus tard, une masse
noire descendit de la côte Sainte-Catherine, tandis que deux
autres flots envahisseurs apparaissaient par les routes de
Darnetal et de Boisguillaume[4]. Les avant-gardes des trois
corps, juste au même moment, se joignirent sur la place de
l'Hôtel-de-Ville ; et, par toutes les rues voisines, l'armée
allemande arrivait, déroulant ses bataillons qui faisaient
sonner les pavés sous leur pas dur et rythmé[5].

Des commandements criés d'une voix inconnue et gut-
turale montaient le long des maisons qui semblaient mortes
et désertes, tandis que, derrière les volets fermés, des yeux
guettaient ces hommes victorieux, maîtres de la cité, des
fortunes et des vies, de par le «droit de guerre». Les habitants, dans leurs chambres assombries, avaient l'affolement
que donnent les cataclysmes, les grands bouleversements
meurtriers de la terre, contre lesquels toute sagesse et toute
force sont inutiles. Car la même sensation reparaît chaque
fois que l'ordre établi des choses est renversé, que la sécurité

---

1 *émasculés* : au sens figuré, dépouillés de leur caractère viril, de leur combativité.

2 Après s'être préparés à soutenir un siège, les Français ont abandonné Rouen sans
   combat.

3 *uhlans* : soldats prussiens (mot allemand d'origine polonaise).

4 Les troupes prussiennes sont effectivement entrées dans Rouen par les trois
   faubourgs de Sainte-Catherine, Darnetal et Boisguillaume.

5 Les Prussiens sont entrés dans Rouen le 5 décembre 1870 et ont occupé la ville
   jusqu'au 22 juillet 1871.

n'existe plus, que tout ce que protégeaient les lois des
hommes ou celles de la nature, se trouve à la merci d'une
brutalité inconsciente et féroce. Le tremblement de terre
80   écrasant sous des maisons croulantes un peuple entier; le
fleuve débordé qui roule les paysans noyés avec les cadavres
des bœufs et les poutres arrachées aux toits, ou l'armée
glorieuse massacrant ceux qui se défendent, emmenant les
autres prisonniers, pillant au nom du Sabre et remerciant
85   un Dieu au son du canon, sont autant de fléaux effrayants
qui déconcertent toute croyance à la justice éternelle, toute
la confiance qu'on nous enseigne en la protection du ciel et
en la raison de l'homme.

Mais à chaque porte des petits détachements frappaient,
90   puis disparaissaient dans les maisons. C'était l'occupation
après l'invasion. Le devoir commençait pour les vaincus de
se montrer gracieux envers les vainqueurs.

Au bout de quelque temps, une fois la première terreur
disparue, un calme nouveau s'établit. Dans beaucoup de
95   familles, l'officier prussien mangeait à table. Il était parfois
bien élevé, et, par politesse, plaignait la France, disait sa
répugnance en prenant part à cette guerre. On lui était
reconnaissant de ce sentiment; puis on pouvait, un jour ou
l'autre, avoir besoin de sa protection. En le ménageant on
100 obtiendrait peut-être quelques hommes de moins à nourrir.
Et pourquoi blesser quelqu'un dont on dépendait tout à fait?
Agir ainsi serait moins de la bravoure que de la témérité. —
Et la témérité n'est plus un défaut des bourgeois de Rouen,
comme au temps des défenses héroïques où s'illustra leur
105 cité. — On se disait enfin, raison suprême tirée de l'urbanité
française, qu'il demeurait bien permis d'être poli dans son
intérieur pourvu qu'on ne se montrât pas familier, en
public, avec le soldat étranger. Au-dehors on ne se connaissait
plus, mais dans la maison on causait volontiers, et l'Alle-
110 mand demeurait plus longtemps, chaque soir, à se chauffer
au foyer commun.

La ville même reprenait peu à peu de son aspect ordinaire. Les Français ne sortaient guère encore, mais les soldats prussiens grouillaient dans les rues. Du reste, les officiers de
115 hussards bleus[1], qui traînaient avec arrogance leurs grands outils de mort sur le pavé, ne semblaient pas avoir pour les simples citoyens énormément plus de mépris que les officiers de chasseurs[2], qui, l'année d'avant, buvaient aux mêmes cafés.

120 Il y avait cependant quelque chose dans l'air, quelque chose de subtil et d'inconnu, une atmosphère étrangère intolérable, comme une odeur répandue, l'odeur de l'invasion. Elle emplissait les demeures et les places publiques, changeait le goût des aliments, donnait l'impression d'être
125 en voyage, très loin, chez des tribus barbares et dangereuses.

Les vainqueurs exigeaient de l'argent, beaucoup d'argent. Les habitants payaient toujours; ils étaient riches d'ailleurs. Mais plus un négociant normand devient opulent et plus il souffre de tout sacrifice, de toute parcelle de sa fortune qu'il
130 voit passer aux mains d'un autre.

Cependant, à deux ou trois lieues[3] sous la ville, en suivant le cours de la rivière, vers Croisset, Dieppedalle ou Biessart[4], les mariniers et les pêcheurs ramenaient souvent du fond de l'eau quelque cadavre d'Allemand gonflé dans son uniforme,
135 tué d'un coup de couteau ou de savate, la tête écrasée par une pierre, ou jeté à l'eau d'une poussée du haut d'un pont. Les vases du fleuve ensevelissaient ces vengeances obscures, sauvages et légitimes, héroïsmes inconnus, attaques muettes, plus périlleuses que les batailles au grand jour et sans le
140 retentissement de la gloire[5].

---

1 *hussards bleus* : soldats de la cavalerie prussienne.
2 *officiers de chasseurs* : officiers appartenant à la cavalerie ou à l'infanterie française.
3 Une lieue équivaut à environ 4 kilomètres.
4 *Croisset, Dieppedalle et Biessart* : trois villages normands, à quelques kilomètres en aval de Rouen. Maupassant est souvent allé à Croisset, chez Gustave Flaubert.
5 Lire, sur ce sujet, le conte de Maupassant, «Le Père Milon».

Car la haine de l'étranger arme toujours quelques intrépides prêts à mourir pour une Idée.

Enfin, comme les envahisseurs, bien qu'assujettissant la ville à leur inflexible discipline, n'avaient accompli aucune
145 des horreurs que la renommée leur faisait commettre tout le long de leur marche triomphale, on s'enhardit, et le besoin du négoce travailla de nouveau le cœur des commerçants du pays. Quelques-uns avaient de gros intérêts engagés au Havre[1] que l'armée française occupait, et ils voulurent
150 tenter de gagner ce port en allant par terre à Dieppe[2] où ils s'embarqueraient.

On employa l'influence des officiers allemands dont on avait fait la connaissance, et une autorisation de départ fut obtenue du général en chef.

155 Donc, une grande diligence[3] à quatre chevaux ayant été retenue pour ce voyage, et dix personnes s'étant fait inscrire chez le voiturier, on résolut de partir un mardi matin, avant le jour, pour éviter tout rassemblement.

Depuis quelque temps déjà la gelée avait durci la terre, et
160 le lundi, vers trois heures, de gros nuages noirs venant du nord apportèrent la neige qui tomba sans interruption pendant toute la soirée et toute la nuit.

À quatre heures et demie du matin, les voyageurs se réunirent dans la cour de l'hôtel de Normandie, où l'on devait
165 monter en voiture.

Ils étaient encore pleins de sommeil, et grelottaient de froid sous leurs couvertures. On se voyait mal dans l'obscurité ; et l'entassement des lourds vêtements d'hiver faisait ressembler tous ces corps à des curés obèses avec leurs
170 longues soutanes. Mais deux hommes se reconnurent, un troisième les aborda, ils causèrent : « J'emmène ma femme,

---

1 *Le Havre* : ville portuaire de Normandie. L'armée française conserva la poche du Havre jusqu'à l'armistice.

2 *Dieppe* : ville portuaire de Normandie située sur la Manche.

3 *diligence* : voiture à chevaux qui servait au transport des voyageurs.

Quelques-uns avaient de gros intérêts engagés
au Havre que l'armée française occupait,
et ils voulurent tenter de gagner ce port en allant
par terre à Dieppe où ils s'embarqueraient.

Lignes 148 à 151.

dit l'un. — J'en fais autant. — Et moi aussi.» Le premier
ajouta : «Nous ne reviendrons pas à Rouen, et si les Prussiens
approchent du Havre nous gagnerons l'Angleterre.» Tous
175 avaient les mêmes projets, étant de complexion[1] semblable.

Cependant on n'attelait pas la voiture. Une petite
lanterne, que portait un valet d'écurie, sortait de temps à
autre d'une porte obscure pour disparaître immédiatement
dans une autre. Des pieds de chevaux frappaient la terre,
180 amortis par le fumier des litières, et une voix d'homme
parlant aux bêtes et jurant s'entendait au fond du bâtiment.
Un léger murmure de grelots annonça qu'on maniait les
harnais ; ce murmure devint bientôt un frémissement clair
et continu, rythmé par le mouvement de l'animal, s'arrêtant
185 parfois, puis reprenant dans une brusque secousse qu'accompagnait le bruit mat d'un sabot ferré battant le sol.

La porte subitement se ferma. Tout bruit cessa. Les
bourgeois, gelés, s'étaient tus : ils demeuraient immobiles et
roidis.

190 Un rideau de flocons blancs ininterrompu miroitait sans
cesse en descendant vers la terre ; il effaçait les formes, pou-
drait les choses d'une mousse de glace, et l'on n'entendait
plus, dans le grand silence de la ville calme et ensevelie sous
l'hiver, que ce froissement vague, innommable et flottant
195 de la neige qui tombe, plutôt sensation que bruit, entre-
mêlement d'atomes légers qui semblaient emplir l'espace,
couvrir le monde.

L'homme reparut, avec sa lanterne, tirant au bout d'une
corde un cheval triste qui ne venait pas volontiers. Il le plaça
200 contre le timon[2], attacha les traits[3], tourna longtemps autour
pour assurer les harnais, car il ne pouvait se servir que d'une
main, l'autre portant sa lumière. Comme il allait chercher la

---

1 *complexion* : nature, tempérament.
2 *timon* : longue pièce de bois placée à l'avant de la voiture, dans le sens de la
   longueur, de chaque côté de laquelle on attelle les chevaux.
3 *traits* : lanières servant à tirer la voiture.

seconde bête, il remarqua tous ces voyageurs immobiles, déjà blancs de neige, et leur dit : «Pourquoi ne montez-vous
205 pas dans la voiture ? vous serez à l'abri, au moins.»

Ils n'y avaient pas songé, sans doute, et ils se précipitèrent. Les trois hommes installèrent leurs femmes dans le fond, montèrent ensuite ; puis les autres formes indécises et voilées prirent à leur tour les dernières places sans échanger
210 une parole.

Le plancher était couvert de paille où les pieds s'enfoncèrent. Les dames du fond, ayant apporté des petites chaufferettes[1] en cuivre avec un charbon chimique, allumèrent ces appareils, et, pendant quelque temps, à voix basse, elles
215 en énumérèrent les avantages, se répétant des choses qu'elles savaient déjà depuis longtemps.

Enfin, la diligence étant attelée, avec six chevaux au lieu de quatre à cause du tirage plus pénible, une voix du dehors demanda : «Tout le monde est-il monté ?» Une voix du
220 dedans répondit : «Oui.» On partit.

La voiture avançait lentement, lentement, à tout petits pas. Les roues s'enfonçaient dans la neige ; le coffre entier geignait avec des craquements sourds ; les bêtes glissaient, soufflaient, fumaient et le fouet gigantesque du cocher
225 claquait sans repos, voltigeait de tous les côtés, se nouant et se déroulant comme un serpent mince, et cinglant brusquement quelque croupe rebondie qui se tendait alors sous un effort plus violent.

Mais le jour imperceptiblement grandissait. Ces flocons
230 légers qu'un voyageur, Rouennais pur sang, avait comparés à une pluie de coton, ne tombaient plus. Une lueur sale filtrait à travers de gros nuages obscurs et lourds qui rendaient plus éclatante la blancheur de la campagne où apparaissaient

---

1 *chaufferettes* : boîtes dont le couvercle est percé de trous et dans lesquelles on met de la braise, de la cendre chaude ou, ici, du charbon chimique, pour se chauffer les pieds.

tantôt une ligne de grands arbres vêtus de givre, tantôt une
235   chaumière avec un capuchon de neige.

Dans la voiture, on se regardait curieusement, à la triste
clarté de cette aurore.

Tout au fond, aux meilleures places, sommeillaient, en
face l'un de l'autre, M. et Mme Loiseau, des marchands de
240   vins en gros de la rue Grand-Pont[1].

Ancien commis d'un patron ruiné dans les affaires,
Loiseau avait acheté le fonds[2] et fait fortune. Il vendait à très
bon marché de très mauvais vins aux petits débitants des
campagnes et passait parmi ses connaissances et ses amis
245   pour un fripon madré[3], un vrai Normand plein de ruses et
de jovialité.

Sa réputation de filou était si bien établie, qu'un soir à la
préfecture, M. Tournel, auteur de fables et de chansons,
esprit mordant et fin, une gloire locale, ayant proposé aux
250   dames qu'il voyait un peu somnolentes de faire une partie
de «Loiseau vole[4]», le mot lui-même vola à travers les salons
du préfet[5], puis, gagnant ceux de la ville, avait fait rire pendant un mois toutes les mâchoires de la province.

Loiseau était en outre célèbre par ses farces de toute
255   nature, ses plaisanteries bonnes ou mauvaises, et personne
ne pouvait parler de lui sans ajouter immédiatement : «Il est
impayable, ce Loiseau.»

De taille exiguë, il présentait un ventre en ballon surmonté d'une face rougeaude entre deux favoris grisonnants.

260   Sa femme, grande, forte, résolue, avec la voix haute et la
décision rapide, était l'ordre et l'arithmétique de la maison
de commerce, qu'il animait par son activité joyeuse.

---

1   *rue Grand-Pont* : rue bordée des plus riches boutiques de Rouen. Elle fut
détruite en 1944.
2   *fonds* : ensemble des droits et des biens mobiliers qui appartiennent à
un commerce.
3   *madré* : finaud, rusé.
4   *Loiseau vole* : par allusion à un jeu d'enfants, le «Pigeon vole».
5   *préfet* : fonctionnaire à la tête d'un département.

*Dans la voiture, on se regardait curieusement,
à la triste clarté de cette aurore.*

Lignes 236 et 237.

À côté d'eux se tenait, plus digne, appartenant à une caste supérieure, M. Carré-Lamadon, homme considérable, posé
265 dans les cotons, propriétaire de trois filatures, officier de la Légion d'honneur[1] et membre du Conseil général[2]. Il était resté, tout le temps de l'Empire[3], chef de l'opposition bienveillante, uniquement pour se faire payer plus cher son ralliement à la cause qu'il combattait avec des armes
270 courtoises, selon sa propre expression. Mme Carré-Lamadon, beaucoup plus jeune que son mari, demeurait la consolation des officiers de bonne famille envoyés à Rouen en garnison[4].

Elle faisait vis-à-vis à son époux, toute petite, toute mignonne, toute jolie, pelotonnée dans ses fourrures, et
275 regardait d'un air navré l'intérieur lamentable de la voiture.

Ses voisins, le comte et la comtesse Hubert de Bréville, portaient un des noms les plus anciens et les plus nobles de la Normandie. Le comte, vieux gentilhomme de grande tournure, s'efforçait d'accentuer, par les artifices de sa toi-
280 lette, sa ressemblance naturelle avec le roi Henri IV, qui, suivant une légende glorieuse pour la famille, avait rendu grosse[5] une dame de Bréville, dont le mari, pour ce fait, était devenu comte et gouverneur de province.

Collègue de M. Carré-Lamadon au Conseil général, le
285 comte Hubert représentait le parti orléaniste dans le département. L'histoire de son mariage avec la fille d'un petit armateur de Nantes[6] était toujours demeurée mysté-rieuse. Mais comme la comtesse avait grand air, recevait mieux que personne, passait même pour avoir été aimée par

---

1 *Légion d'honneur* : ordre national hiérarchisé créé par Bonaparte en 1802 pour récompenser les services civils et militaires. La Légion d'honneur comprend cinq classes dont les officiers.
2 *Conseil général* : assemblée délibérante composée de membres élus dans chaque département de la France.
3 *Empire* : second Empire (voir la section «Maupassant et son époque», p. 130).
4 *en garnison* : pour défendre la ville.
5 *grosse* : enceinte.
6 *Nantes* : port de mer sur l'Atlantique au fond de l'estuaire de la Loire.

290 un des fils de Louis-Philippe[1], toute la noblesse lui faisait
fête, et son salon demeurait le premier du pays, le seul où se
conservât la vieille galanterie, et dont l'entrée fût difficile.

La fortune des Bréville, toute en biens-fonds[2], atteignait,
disait-on, cinq cent mille livres[3] de revenu.

295 Ces six personnes formaient le fond de la voiture, le côté
de la société rentée[4], sereine et forte, des honnêtes gens
autorisés[5] qui ont de la religion et des principes.

Par un hasard étrange, toutes les femmes se trouvaient
sur le même banc ; et la comtesse avait encore pour voisines
300 deux bonnes sœurs qui égrenaient de longs chapelets en
marmottant des *Pater* et des *Ave*[6]. L'une était vieille avec une
face défoncée par la petite vérole[7] comme si elle eût reçu à
bout portant une bordée de mitraille en pleine figure.
L'autre, très chétive, avait une tête jolie et maladive sur une
305 poitrine de phtisique[8] rongée par cette foi dévorante qui fait
les martyrs et les illuminés[9].

En face des deux religieuses, un homme et une femme
attiraient les regards de tous.

L'homme, bien connu, était Cornudet, le démoc[10], la terreur
310 des gens respectables. Depuis vingt ans, il trempait sa barbe
rousse dans les bocks de tous les cafés démocratiques. Il
avait mangé avec les frères et amis une assez belle fortune

---

1 Louis-Philippe d'Orléans, roi de France de 1830 à 1848, c'est-à-dire pendant la
   monarchie de Juillet.
2 *biens-fonds* : terres et biens immobiliers.
3 *livres* : ancienne monnaie représentant à l'origine un poids d'une livre d'argent.
4 *rentée* : qui vit de ses rentes, de son capital.
5 *autorisés* : qui jouissent d'une grande autorité.
6 *Pater et Ave* : premiers mots latins de deux prières catholiques : «Pater noster»
   («Notre Père…») et «Ave Maria» («Je vous salue, Marie…»).
7 *petite vérole* : variole, maladie infectieuse d'origine virale qui laisse des cicatrices
   sur la peau.
8 *phtisique* : tuberculeuse.
9 *illuminés* : mystiques croyant à l'illumination de l'âme par Dieu.
10 *démoc* : abréviation familière de «démocrate», partisan du pouvoir du peuple et,
   par conséquent, mal vu des bourgeois.

qu'il tenait de son père, ancien confiseur, et il attendait
impatiemment la République pour obtenir enfin la place
315   méritée par tant de consommations révolutionnaires. Au
quatre septembre, par suite d'une farce peut-être, il s'était
cru nommé préfet; mais quand il voulut entrer en fonctions,
les garçons de bureau, demeurés seuls maîtres de la place,
refusèrent de le reconnaître, ce qui le contraignit à la
320   retraite. Fort bon garçon du reste, inoffensif et serviable,
il s'était occupé avec une ardeur incomparable d'organiser
la défense. Il avait fait creuser des trous dans les plaines,
coucher tous les jeunes arbres des forêts voisines, semé des
pièges sur toutes les routes, et, à l'approche de l'ennemi,
325   satisfait de ses préparatifs, il s'était vivement replié vers la
ville. Il pensait maintenant se rendre plus utile au Havre, où
de nouveaux retranchements allaient être nécessaires.

La femme, une de celles appelées galantes[1], était célèbre
par son embonpoint précoce qui lui avait valu le surnom de
330   Boule de Suif. Petite, ronde de partout, grasse à lard, avec
des doigts bouffis, étranglés aux phalanges, pareils à des
chapelets de courtes saucisses, avec une peau luisante et tendue, une gorge énorme qui saillait sous sa robe, elle restait
cependant appétissante et courue[2], tant sa fraîcheur faisait
335   plaisir à voir. Sa figure était une pomme rouge, un bouton
de pivoine prêt à fleurir; et là-dedans s'ouvraient, en haut,
deux yeux noirs magnifiques, ombragés de grands cils
épais qui mettaient une ombre dedans; en bas, une bouche
charmante, étroite, humide pour le baiser, meublée de
340   quenottes[3] luisantes et microscopiques.

Elle était de plus, disait-on, pleine de qualités inappré-
ciables.

Aussitôt qu'elle fut reconnue, des chuchotements coururent
parmi les femmes honnêtes, et les mots de «prostituée», de

---

1 *femmes galantes*: voir la section «Maupassant et son époque», p. 136.

2 *courue*: recherchée.

3 *quenottes* (familier): petites dents d'enfant.

345 «honte publique» furent chuchotés si haut qu'elle leva la
tête. Alors elle promena sur ses voisins un regard tellement
provocant et hardi qu'un grand silence aussitôt régna, et
tout le monde baissa les yeux à l'exception de Loiseau, qui la
guettait d'un air émoustillé.

350 Mais bientôt la conversation reprit entre les trois dames,
que la présence de cette fille avait rendues subitement
amies, presque intimes. Elles devaient faire, leur semblait-il,
comme un faisceau de leurs dignités d'épouses en face de
cette vendue sans vergogne[1]; car l'amour légal le prend tou-
355 jours de haut avec son libre confrère.

Les trois hommes aussi, rapprochés par un instinct de
conservateurs[2] à l'aspect de Cornudet, parlaient argent d'un
certain ton dédaigneux pour les pauvres. Le comte Hubert
disait les dégâts que lui avaient fait subir les Prussiens,
360 les pertes qui résulteraient du bétail volé et des récoltes
perdues, avec une assurance de grand seigneur dix fois
millionnaire que ces ravages gêneraient à peine une année.
M. Carré-Lamadon, fort éprouvé dans l'industrie cotonnière,
avait eu soin d'envoyer six cent mille francs en Angleterre,
365 une poire pour la soif[3] qu'il se ménageait à toute occasion.
Quant à Loiseau, il s'était arrangé pour vendre à l'Intendance[4] française tous les vins communs qui lui restaient en
cave, de sorte que l'État lui devait une somme formidable
qu'il comptait bien toucher au Havre.

370 Et tous les trois se jetaient des coups d'œil rapides et
amicaux. Bien que de conditions différentes, ils se sentaient
frères par l'argent, de la grande franc-maçonnerie[5] de ceux

---

1 *vendue sans vergogne* : femme qui vend son corps sans en ressentir de honte.

2 *conservateurs* : qui veulent conserver l'ordre établi.

3 *poire pour la soif* : économies pour les besoins à venir.

4 *Intendance* : service de l'armée chargé de l'administration, du ravitaillement et de l'entretien des troupes.

5 *franc-maçonnerie* : association initiatique internationale ; ici, au sens figuré, alliance de gens riches qui ont les mêmes intérêts.

qui possèdent, qui font sonner de l'or en mettant la main dans la poche de leur culotte.

375   La voiture allait si lentement qu'à dix heures du matin on n'avait pas fait quatre lieues[1]. Les hommes descendirent trois fois pour monter des côtes à pied. On commençait à s'inquiéter, car on devait déjeuner à Tôtes[2] et l'on désespérait maintenant d'y parvenir avant la nuit. Chacun guettait
380   pour apercevoir un cabaret sur la route, quand la diligence sombra dans un amoncellement de neige, et il fallut deux heures pour la dégager.

L'appétit grandissait, troublait les esprits; et aucune gargote[3], aucun marchand de vin ne se montraient,
385   l'approche des Prussiens et le passage des troupes françaises affamées ayant effrayé toutes les industries.

Les messieurs coururent aux provisions dans les fermes au bord du chemin, mais ils n'y trouvèrent pas même de pain, car le paysan, défiant, cachait ses réserves dans la
390   crainte d'être pillé par les soldats qui, n'ayant rien à se mettre sous la dent, prenaient par force ce qu'ils découvraient.

Vers une heure de l'après-midi, Loiseau annonça que décidément il se sentait un rude creux dans l'estomac. Tout le monde souffrait comme lui depuis longtemps; et le vio-
395   lent besoin de manger, augmentant toujours, avait tué les conversations.

De temps en temps, quelqu'un bâillait; un autre presque aussitôt l'imitait; et chacun, à tour de rôle, suivant son caractère, son savoir-vivre et sa position sociale, ouvrait la
400   bouche avec fracas ou modestement en portant vite sa main devant le trou béant d'où sortait une vapeur.

Boule de Suif, à plusieurs reprises, se pencha comme si elle cherchait quelque chose sous ses jupons. Elle hésitait

---

1   *quatre lieues*: environ seize kilomètres.
2   *Tôtes*: à 29 km au nord de Rouen, sur la route de Dieppe.
3   *gargote* (péjoratif): restaurant bon marché où la cuisine et le service sont de piètre qualité.

une seconde, regardait ses voisins, puis se redressait tran-
405 quillement. Les figures étaient pâles et crispées. Loiseau
affirma qu'il payerait mille francs un jambonneau. Sa
femme fit un geste comme pour protester; puis elle se
calma. Elle souffrait toujours en entendant parler d'argent
gaspillé, et ne comprenait même pas les plaisanteries sur ce
410 sujet. «Le fait est que je ne me sens pas bien, dit le comte;
comment n'ai-je pas songé à apporter des provisions?»
Chacun se faisait le même reproche.

Cependant, Cornudet avait une gourde pleine de rhum;
il en offrit: on refusa froidement. Loiseau seul en accepta deux
415 gouttes, et, lorsqu'il rendit la gourde, il remercia: «C'est bon
tout de même, ça réchauffe, et ça trompe l'appétit.» L'alcool
le mit en belle humeur et il proposa de faire comme sur le
petit navire de la chanson[1]: de manger le plus gras des
voyageurs. Cette allusion indirecte à Boule de Suif choqua
420 les gens bien élevés. On ne répondit pas; Cornudet seul eut
un sourire. Les deux bonnes sœurs avaient cessé de mar-
motter leur rosaire[2], et, les mains enfoncées dans leurs
grandes manches, elles se tenaient immobiles, baissant
obstinément les yeux, offrant sans doute au ciel la souf-
425 france qu'il leur envoyait.

Enfin, à trois heures, comme on se trouvait au milieu
d'une plaine interminable, sans un seul village en vue, Boule
de Suif, se baissant vivement, retira de sous la banquette un
large panier couvert d'une serviette blanche.
430 Elle en sortit d'abord une petite assiette de faïence, une
fine timbale en argent, puis une vaste terrine dans laquelle
deux poulets entiers, tout découpés, avaient confit sous leur
gelée; et l'on apercevait encore dans le panier d'autres

---

1 *petit navire de la chanson*: allusion à la chanson «Il était un petit navire» dans
laquelle les marins affamés décident de manger celui qui tire la paille la plus
courte.

2 *rosaire*: grand chapelet et, par extension, les 15 Pater et les 15 dizaines d'Ave qu'on
récite en l'égrenant.

bonnes choses enveloppées, des pâtés, des fruits, des frian-
435   dises, les provisions préparées pour un voyage de trois
jours, afin de ne point toucher à la cuisine des auberges.
Quatre goulots de bouteilles passaient entre les paquets de
nourriture. Elle prit une aile de poulet et, délicatement, se
mit à la manger avec un de ces petits pains qu'on appelle
440   «Régence» en Normandie.

Tous les regards étaient tendus vers elle. Puis l'odeur se
répandit, élargissant les narines, faisant venir aux bouches
une salive abondante avec une contraction douloureuse de
la mâchoire sous les oreilles. Le mépris des dames pour cette
445   fille devenait féroce, comme une envie de la tuer ou de la
jeter en bas de la voiture, dans la neige, elle, sa timbale, son
panier et ses provisions.

Mais Loiseau dévorait des yeux la terrine de poulet. Il dit :
«À la bonne heure, Madame a eu plus de précaution que
450   nous. Il y a des personnes qui savent toujours penser à tout.»
Elle leva la tête vers lui : «Si vous en désirez, Monsieur ?
C'est dur de jeûner depuis le matin.» Il salua : «Ma foi,
franchement, je ne refuse pas, je n'en peux plus. À la guerre
comme à la guerre, n'est-ce pas, Madame ?» Et, jetant un
455   regard circulaire, il ajouta : «Dans des moments comme
celui-là, on est bien aise de trouver des gens qui vous
obligent[1].» Il avait un journal, qu'il étendit pour ne point
tacher son pantalon, et sur la pointe d'un couteau toujours
logé dans sa poche, il enleva une cuisse toute vernie de gelée,
460   la dépeça des dents, puis la mâcha avec une satisfaction
si évidente qu'il y eut dans la voiture un grand soupir de
détresse.

Mais Boule de Suif, d'une voix humble et douce, proposa aux
bonnes sœurs de partager sa collation. Elles acceptèrent toutes
465   les deux instantanément, et, sans lever les yeux, se mirent à
manger très vite après avoir balbutié des remerciements.

---

1   *vous obligent* : vous rendent service.

Cornudet ne refusa pas non plus les offres de sa voisine, et l'on forma avec les religieuses une sorte de table en développant des journaux sur les genoux.

470 Les bouches s'ouvraient et se fermaient sans cesse, avalaient, mastiquaient, engloutissaient férocement. Loiseau, dans son coin, travaillait dur, et, à voix basse, il engageait sa femme à l'imiter. Elle résista longtemps, puis, après une crispation qui lui parcourut les entrailles, elle céda. Alors
475 son mari, arrondissant sa phrase, demanda à leur «charmante compagne» si elle lui permettait d'offrir un petit morceau à Mme Loiseau. Elle dit : «Mais oui, certainement, Monsieur», avec un sourire aimable, et tendit la terrine.

Un embarras se produisit lorsqu'on eut débouché la
480 première bouteille de bordeaux : il n'y avait qu'une timbale. On se la passa après l'avoir essuyée. Cornudet seul, par galanterie sans doute, posa ses lèvres à la place humide encore des lèvres de sa voisine.

Alors, entourés de gens qui mangeaient, suffoqués par
485 les émanations des nourritures, le comte et la comtesse de Bréville, ainsi que M. et Mme Carré-Lamadon souffrirent ce supplice odieux qui a gardé le nom de Tantale[1]. Tout d'un coup la jeune femme du manufacturier poussa un soupir qui fit retourner les têtes ; elle était aussi blanche
490 que la neige du dehors ; ses yeux se fermèrent, son front tomba : elle avait perdu connaissance. Son mari, affolé, implorait le secours de tout le monde. Chacun perdait l'esprit, quand la plus âgée des bonnes sœurs, soutenant la tête de la malade, glissa entre ses lèvres la timbale de Boule
495 de Suif et lui fit avaler quelques gouttes de vin. La jolie dame remua, ouvrit les yeux, sourit et déclara d'une voix mourante qu'elle se sentait fort bien maintenant. Mais, afin

---

1 *supplice de Tantale* : Tantale est un roi de la mythologie grecque que les dieux ont condamné à une faim et une soif éternelles. Le niveau de l'eau dans laquelle ils l'ont plongé jusqu'au cou baisse dès qu'il essaie de boire, et une branche chargée de fruits s'éloigne dès qu'il veut en saisir un.

que cela ne se renouvelât plus, la religieuse la contraignit à
boire un plein verre de bordeaux, et elle ajouta : «C'est la
500 faim, pas autre chose.»

Alors Boule de Suif, rougissante et embarrassée, balbutia
en regardant les quatre voyageurs restés à jeun : «Mon Dieu,
si j'osais offrir à ces messieurs et à ces dames…» Elle se tut,
craignant un outrage. Loiseau prit la parole : «Eh, parbleu,
505 dans des cas pareils tout le monde est frère et doit s'aider.
Allons, Mesdames, pas de cérémonie : acceptez, que diable !
Savons-nous si nous trouverons seulement une maison où
passer la nuit ? Du train dont nous allons, nous ne serons pas
à Tôtes avant demain midi.» On hésitait, personne n'osant
510 assumer la responsabilité du «oui». Mais le comte trancha la
question. Il se tourna vers la grosse fille intimidée, et, prenant
son grand air de gentilhomme, il lui dit : «Nous acceptons
avec reconnaissance, Madame.»

Le premier pas seul coûtait. Une fois le Rubicon passé[1],
515 on s'en donna carrément. Le panier fut vidé. Il contenait
encore un pâté de foie gras, un pâté de mauviettes[2], un
morceau de langue fumée, des poires de Crassane, un pavé
de Pont-l'Évêque, des petits fours et une tasse pleine de
cornichons et d'oignons au vinaigre, Boule de Suif, comme
520 toutes les femmes, adorant les crudités.

On ne pouvait manger les provisions de cette fille sans
lui parler. Donc on causa, avec réserve d'abord, puis,
comme elle se tenait fort bien, on s'abandonna davantage.
Mmes de Bréville et Carré-Lamadon, qui avaient un grand
525 savoir-vivre, se firent gracieuses avec délicatesse. La comtesse
surtout montra cette condescendance aimable des très nobles

---

1 *Une fois le Rubicon passé* : le Rubicon était un fleuve entre la Gaule cisalpine,
gouvernée par César, et l'Italie. César le franchit avec son armée alors qu'il lui
était interdit de le faire sans ordre du Sénat. C'est à ce moment qu'il prononça sa
célèbre phrase : «Alea jacta est !» (Le sort en est jeté.) L'expression «franchir le
Rubicon» signifie «avoir l'audace de prendre une décision difficile et irrévocable».
2 *mauviettes* : alouettes.

dames qu'aucun contact ne peut salir, et fut charmante. Mais la forte Mme Loiseau, qui avait une âme de gendarme, resta revêche, parlant peu et mangeant beaucoup.

530 On s'entretint de la guerre, naturellement. On raconta des faits horribles des Prussiens, des traits de bravoure des Français ; et tous ces gens qui fuyaient rendirent hommage au courage des autres. Les histoires personnelles commen-cèrent bientôt, et Boule de Suif raconta, avec une émotion
535 vraie, avec cette chaleur de parole qu'ont parfois les filles[1] pour exprimer leurs emportements naturels, comment elle avait quitté Rouen : « J'ai cru d'abord que je pourrais rester, disait-elle. J'avais ma maison pleine de provisions, et j'aimais mieux nourrir quelques soldats que m'expatrier je
540 ne sais où. Mais quand je les ai vus, ces Prussiens, ce fut plus fort que moi ! Ils m'ont tourné le sang de colère ; et j'ai pleuré de honte toute la journée. Oh ! si j'étais un homme, allez ! Je les regardais de ma fenêtre, ces gros porcs avec leur casque à pointe, et ma bonne me tenait les mains pour
545 m'empêcher de leur jeter mon mobilier sur le dos. Puis il en est venu pour loger chez moi ; alors j'ai sauté à la gorge du premier. Ils ne sont pas plus difficiles à étrangler que d'autres ! Et je l'aurais terminé, celui-là, si l'on ne m'avait pas tirée par les cheveux. Il a fallu me cacher après ça. Enfin,
550 quand j'ai trouvé une occasion, je suis partie, et me voici. »

On la félicita beaucoup. Elle grandissait dans l'estime de ses compagnons qui ne s'étaient pas montrés si crânes[2] ; et Cornudet, en l'écoutant, gardait un sourire approbateur et bienveillant d'apôtre ; de même un prêtre entend un dévot
555 louer Dieu, car les démocrates à longue barbe ont le monopole du patriotisme comme les hommes en soutane ont celui de la religion. Il parla à son tour d'un ton doctri-naire, avec l'emphase apprise dans les proclamations qu'on

---

1 *filles* : filles de joie, prostituées.
2 *crânes* : braves, courageux.

collait chaque jour aux murs, et il finit par un morceau
560 d'éloquence où il étrillait magistralement cette «crapule de
Badinguet[1]».

Mais Boule de Suif aussitôt se fâcha, car elle était bonapartiste. Elle devenait plus rouge qu'une guigne[2], et,
bégayant d'indignation : «J'aurais bien voulu vous voir à sa
565 place, vous autres. Ça aurait été du propre, ah oui! C'est
vous qui l'avez trahi, cet homme! On n'aurait plus qu'à
quitter la France si l'on était gouverné par des polissons
comme vous!» Cornudet, impassible, gardait un sourire
dédaigneux et supérieur; mais on sentait que les gros mots
570 allaient arriver quand le comte s'interposa et calma, non
sans peine, la fille exaspérée, en proclamant avec autorité
que toutes les opinions sincères étaient respectables.
Cependant la comtesse et la manufacturière, qui avaient
dans l'âme la haine irraisonnée des gens comme il faut pour
575 la République, et cette instinctive tendresse que nourrissent
toutes les femmes pour les gouvernements à panache[3] et
despotiques, se sentaient, malgré elles, attirées vers cette
prostituée pleine de dignité, dont les sentiments ressem-
blaient si fort aux leurs.

580 Le panier était vide. À dix on l'avait tari sans peine, en
regrettant qu'il ne fût pas plus grand. La conversation continua quelque temps, un peu refroidie néanmoins depuis
qu'on avait fini de manger.

La nuit tombait, l'obscurité peu à peu devint profonde, et
585 le froid, plus sensible pendant les digestions, faisait frissonner Boule de Suif, malgré sa graisse. Alors Mme de Bréville
lui proposa sa chaufferette dont le charbon, depuis le matin,

---

1 *Badinguet* : surnom donné à Napoléon III par ses adversaires. Badinguet est le
   nom d'un maçon qui lui avait prêté ses vêtements pour lui permettre, en 1846,
   de s'évader du fort de Ham où Louis-Philippe l'avait fait emprisonner.

2 *guigne* : petite cerise rouge très sucrée.

3 *gouvernements à panache* : le panache est le bouquet de plumes dont sont ornés
   les casques de certains militaires; les gouvernements à panache sont ceux
   fortement soutenus par l'armée.

avait été plusieurs fois renouvelé, et l'autre accepta tout de suite car elle se sentait les pieds gelés. Mme Carré-Lamadon et Loiseau donnèrent les leurs aux religieuses.

Le cocher avait allumé ses lanternes. Elles éclairaient d'une lueur vive un nuage de buée au-dessus de la croupe en sueur des timoniers[1], et, des deux côtés de la route, la neige qui semblait se dérouler sous le reflet mobile des lumières.

On ne distinguait plus rien dans la voiture; mais tout à coup un mouvement se fit entre Boule de Suif et Cornudet; et Loiseau, dont l'œil fouillait l'ombre, crut voir l'homme à la grande barbe s'écarter vivement comme s'il eût reçu quelque bon coup lancé sans bruit.

Des petits points de feu parurent en avant sur la route. C'était Tôtes. On avait marché onze heures, ce qui, avec les deux heures de repos laissées en quatre fois aux chevaux pour manger l'avoine et souffler, faisait quatorze[2]. On entra dans le bourg, et devant l'hôtel du Commerce[3] on s'arrêta.

La portière s'ouvrit. Un bruit bien connu fit tressaillir tous les voyageurs: c'étaient les heurts d'un fourreau de sabre sur le sol. Aussitôt la voix d'un Allemand cria quelque chose.

Bien que la diligence fût immobile, personne ne descendait, comme si l'on se fût attendu à être massacré à la sortie. Alors le conducteur apparut, tenant à la main une de ses lanternes, qui éclaira subitement jusqu'au fond de la voiture les deux rangs de têtes effarées, dont les bouches étaient ouvertes et les yeux écarquillés de surprise et d'épouvante.

À côté du cocher se tenait, en pleine lumière, un officier allemand, un grand jeune homme excessivement mince et blond, serré dans son uniforme comme une fille en son corset, et portant sur le côté sa casquette plate et cirée

---

1 *timoniers*: chevaux attelés de chaque côté du timon.
2 Le compte est plutôt de treize; Maupassant s'est trompé.
3 L'hôtel du Commerce est, dans la réalité, l'hôtel du Cygne à Tôtes.

620 qui le faisait ressembler au chasseur d'un hôtel anglais. Sa
     moustache démesurée, à longs poils droits, s'amincissant
     indéfiniment de chaque côté et terminée par un seul fil
     blond, si mince qu'on n'en apercevait pas la fin, semblait
     peser sur les coins de sa bouche, et, tirant la joue, imprimait
625 aux lèvres un pli tombant.

     Il invita en français d'Alsacien les voyageurs à sortir,
     disant d'un ton raide : «Foulez-vous tescentre, Messieurs et
     Tames ?»

     Les deux bonnes sœurs obéirent les premières avec une
630 docilité de saintes filles habituées à toutes les soumissions.
     Le comte et la comtesse parurent ensuite, suivis du manu-
     facturier et de sa femme, puis de Loiseau poussant devant
     lui sa grande moitié. Celui-ci, en mettant pied à terre, dit
     à l'officier : «Bonjour, Monsieur», par un sentiment de pru-
635 dence bien plus que de politesse. L'autre, insolent comme les
     gens tout-puissants, le regarda sans répondre.

     Boule de Suif et Cornudet, bien que près de la portière,
     descendirent les derniers, graves et hautains devant l'ennemi.
     La grosse fille tâchait de se dominer et d'être calme : le
640 démoc tourmentait d'une main tragique et un peu trem-
     blante sa longue barbe roussâtre. Ils voulaient garder de
     la dignité, comprenant qu'en ces rencontres-là chacun
     représente un peu son pays ; et, pareillement révoltés par la
     souplesse de leurs compagnons, elle tâchait de se montrer
645 plus fière que ses voisines, les femmes honnêtes, tandis que
     lui, sentant bien qu'il devait l'exemple, continuait en toute
     son attitude sa mission de résistance commencée au défonce-
     ment des routes.

     On entra dans la vaste cuisine de l'auberge, et l'Alle-
650 mand, s'étant fait présenter l'autorisation de départ signée
     par le général en chef et où étaient mentionnés les noms, le
     signalement et la profession de chaque voyageur, examina
     longuement tout ce monde, comparant les personnes aux
     renseignements écrits.

Boule de Suif et Cornudet, bien que près de la portière, descendirent les derniers, graves et hautains devant l'ennemi.

Lignes 637 et 638.

655 Puis il dit brusquement : «C'est pien», et il disparut.

Alors on respira. On avait faim encore ; le souper fut commandé. Une demi-heure était nécessaire pour l'apprêter ; et, pendant que deux servantes avaient l'air de s'en occuper, on alla visiter les chambres. Elles se trouvaient toutes dans un
660 long couloir que terminait une porte vitrée marquée d'un numéro parlant[1].

Enfin on allait se mettre à table, quand le patron de l'auberge parut lui-même. C'était un ancien marchand de chevaux, un gros homme asthmatique qui avait toujours
665 des sifflements, des enrouements, des chants de glaires dans le larynx. Son père lui avait transmis le nom de Follenvie.

Il demanda : «Mademoiselle Élisabeth Rousset ?»

Boule de Suif tressaillit, se retourna :

«C'est moi.

670 — Mademoiselle, l'officier prussien veut vous parler immédiatement.

— À moi ?

— Oui, si vous êtes bien mademoiselle Élisabeth Rousset.»

Elle se troubla, réfléchit une seconde, puis déclara
675 carrément :

«C'est possible, mais je n'irai pas.»

Un mouvement se fit autour d'elle ; chacun discutait, cherchait la cause de cet ordre. Le comte s'approcha :

«Vous avez tort, Madame, car votre refus peut amener
680 des difficultés considérables, non seulement pour vous, mais même pour tous vos compagnons. Il ne faut jamais résister aux gens qui sont les plus forts. Cette démarche assurément ne peut présenter aucun danger : c'est sans doute pour quelque formalité oubliée.»

685 Tout le monde se joignit à lui, on la pria, on la pressa, on la sermonna, et l'on finit par la convaincre ; car tous

---

1 *numéro parlant* : il s'agit du numéro 100 qui, jusqu'à la fin du XIXe siècle, désignait parfois les toilettes à cause du jeu de mots sent/cent.

On entra dans la vaste cuisine de l'auberge, [...]

Ligne 649.

redoutaient les complications qui pourraient résulter d'un coup de tête. Elle dit enfin :

«C'est pour vous que je le fais, bien sûr !»

690   La comtesse lui prit la main : «Et nous vous en remercions.»

Elle sortit. On l'attendit pour se mettre à table. Chacun se désolait de n'avoir pas été demandé à la place de cette fille violente et irascible, et préparait mentalement des 695 platitudes pour le cas où on l'appellerait à son tour.

Mais au bout de dix minutes elle reparut, soufflant, rouge à suffoquer, exaspérée. Elle balbutiait : «Oh la canaille ! la canaille !»

Tous s'empressaient pour savoir, mais elle ne dit rien ; 700 et, comme le comte insistait, elle répondit avec une grande dignité : «Non, cela ne vous regarde pas, je ne peux pas parler.»

Alors on s'assit autour d'une haute soupière d'où sortait un parfum de choux. Malgré cette alerte, le souper fut gai. 705 Le cidre était bon, le ménage Loiseau et les bonnes sœurs en prirent, par économie. Les autres demandèrent du vin ; Cornudet réclama de la bière. Il avait une façon particulière de déboucher la bouteille, de faire mousser le liquide, de le considérer en penchant le verre, qu'il élevait ensuite entre la 710 lampe et son œil pour bien apprécier la couleur. Quand il buvait, sa grande barbe, qui avait gardé la nuance de son breuvage aimé, semblait tressaillir de tendresse ; ses yeux louchaient pour ne point perdre de vue sa chope, et il avait l'air de remplir l'unique fonction pour laquelle il était né. 715 On eût dit qu'il établissait en son esprit un rapprochement et comme une affinité entre les deux grandes passions qui occupaient toute sa vie : le *Pale Ale*[1] et la Révolution ; et assurément il ne pouvait déguster l'un sans songer à l'autre.

---

1 *Pale Ale* : bière blonde anglaise.

M. et Mme Follenvie dînaient tout au bout de la table.
720 L'homme, râlant comme une locomotive crevée, avait trop
de tirage dans la poitrine pour pouvoir parler en mangeant;
mais la femme ne se taisait jamais. Elle raconta toutes ses
impressions à l'arrivée des Prussiens, ce qu'ils faisaient, ce
qu'ils disaient, les exécrant, d'abord, parce qu'ils lui coû-
725 taient de l'argent, et, ensuite, parce qu'elle avait deux fils à
l'armée. Elle s'adressait surtout à la comtesse, flattée de
causer avec une dame de qualité[1].

Puis elle baissait la voix pour dire les choses délicates, et
son mari, de temps en temps, l'interrompait : «Tu ferais
730 mieux de te taire, madame Follenvie.» Mais elle n'en tenait
aucun compte, et continuait : «Oui, Madame, ces gens-là,
ça ne fait que manger des pommes de terre et du cochon,
et puis du cochon et des pommes de terre. Et il ne faut pas
croire qu'ils sont propres. — Oh non ! Ils ordurent partout,
735 sauf le respect que je vous dois. Et si vous les voyiez faire
l'exercice pendant des heures et des jours; ils sont là tous
dans un champ : — Et marche en avant, et marche en
arrière, et tourne par-ci, et tourne par-là. S'ils cultivaient la
terre au moins, ou s'ils travaillaient aux routes dans leur
740 pays ! — Mais non, Madame, ces militaires, ça n'est
profitable à personne ! Faut-il que le pauvre peuple les
nourrisse pour n'apprendre rien qu'à massacrer ! Je ne suis
qu'une vieille femme sans éducation, c'est vrai, mais en les
voyant qui s'esquintent le tempérament à piétiner du matin
745 au soir, je me dis : — Quand il y a des gens qui font tant de
découvertes pour être utiles, faut-il que d'autres se donnent
tant de mal pour être nuisibles ! Vraiment, n'est-ce pas une
abomination de tuer des gens, qu'ils soient prussiens, ou bien
anglais, ou bien polonais, ou bien français ? Si l'on se revenge
750 sur quelqu'un qui vous a fait tort, c'est mal, puisqu'on vous
condamne; mais quand on extermine nos garçons comme

---

1 *dame de qualité* : appartenant à la noblesse.

du gibier, avec des fusils, c'est donc bien, puisqu'on donne des décorations à celui qui en détruit le plus ?

— Non, voyez-vous, je ne comprendrai jamais cela !»

755　Cornudet éleva la voix :

«La guerre est une barbarie quand on attaque un voisin paisible ; c'est un devoir sacré quand on défend la patrie.»

La vieille femme baissa la tête :

«Oui, quand on se défend, c'est autre chose ; mais si l'on
760　ne devrait pas plutôt tuer tous les rois qui font ça pour leur plaisir ?»

L'œil de Cornudet s'enflamma :

«Bravo, citoyenne», dit-il.

M. Carré-Lamadon réfléchissait profondément. Bien qu'il
765　fût fanatique des illustres capitaines, le bon sens de cette paysanne le faisait songer à l'opulence qu'apporteraient dans un pays tant de bras inoccupés et par conséquent ruineux, tant de forces qu'on entretient improductives, si on les employait aux grands travaux industriels qu'il faudra des
770　siècles pour achever.

Mais Loiseau, quittant sa place, alla causer tout bas avec l'aubergiste. Le gros homme riait, toussait, crachait ; son énorme ventre sautillait de joie aux plaisanteries de son voisin, et il lui acheta six feuillettes[1] de bordeaux pour le
775　printemps, quand les Prussiens seraient partis.

Le souper à peine achevé, comme on était brisé de fatigue, on se coucha.

Cependant Loiseau, qui avait observé les choses, fit mettre au lit son épouse, puis colla tantôt son oreille et tantôt son
780　œil au trou de la serrure, pour tâcher de découvrir ce qu'il appelait : «les mystères du corridor».

Au bout d'une heure environ, il entendit un frôlement, regarda bien vite, et aperçut Boule de Suif qui paraissait plus replète encore sous un peignoir de cachemire bleu, bordé de

---

1 *feuillettes* : tonneaux dont la capacité varie de 114 à 140 litres.

785 dentelles blanches. Elle tenait un bougeoir à la main et se dirigeait vers le gros numéro tout au fond du couloir. Mais une porte, à côté, s'entrouvrit, et, quand elle revint au bout de quelques minutes, Cornudet, en bretelles, la suivait. Ils parlaient bas, puis ils s'arrêtèrent. Boule de Suif semblait
790 défendre l'entrée de sa chambre avec énergie. Loiseau, malheureusement, n'entendait pas les paroles, mais, à la fin, comme ils élevaient la voix, il put en saisir quelques-unes. Cornudet insistait avec vivacité. Il disait :

« Voyons, vous êtes bête, qu'est-ce que ça vous fait ? »

795 Elle avait l'air indigné et répondit :

« Non, mon cher, il y a des moments où ces choses-là ne se font pas ; et puis, ici, ce serait une honte. »

Il ne comprenait point, sans doute, et demanda pourquoi. Alors elle s'emporta, élevant encore le ton :

800 « Pourquoi ? Vous ne comprenez pas pourquoi ? Quand il y a des Prussiens dans la maison, dans la chambre à côté peut-être ? »

Il se tut. Cette pudeur patriotique de catin[1] qui ne se laissait point caresser près de l'ennemi dut réveiller en son
805 cœur sa dignité défaillante, car, après l'avoir seulement embrassée, il regagna sa porte à pas de loup.

Loiseau, très allumé, quitta la serrure, battit un entrechat dans sa chambre, mit son madras[2], souleva le drap sous lequel gisait la dure carcasse de sa compagne qu'il réveilla
810 d'un baiser en murmurant : « M'aimes-tu, chérie ? »

Alors toute la maison devint silencieuse. Mais bientôt s'éleva quelque part, dans une direction indéterminée qui pouvait être la cave aussi bien que le grenier, un ronflement puissant, monotone, régulier, un bruit sourd
815 et prolongé, avec des tremblements de chaudière sous pression. M. Follenvie dormait.

---

1 *catin* : prostituée, femme de mauvaises mœurs.
2 *madras* : mouchoir en cotonnade indienne de Madras qui, noué sur la tête, servait de bonnet de nuit.

Comme on avait décidé qu'on partirait à huit heures le lendemain, tout le monde se trouva dans la cuisine ; mais la voiture, dont la bâche avait un toit de neige, se dressait solitaire au milieu de la cour, sans chevaux et sans conducteur. On chercha en vain celui-ci dans les écuries, dans les fourrages, dans les remises. Alors tous les hommes se résolurent à battre le pays et ils sortirent. Ils se trouvèrent sur la place, avec l'église au fond et, des deux côtés, des maisons basses où l'on apercevait des soldats prussiens. Le premier qu'ils virent épluchait des pommes de terre. Le second, plus loin, lavait la boutique du coiffeur. Un autre, barbu jusqu'aux yeux, embrassait un mioche qui pleurait et le berçait sur ses genoux pour tâcher de l'apaiser ; et les grosses paysannes dont les hommes étaient à «l'armée de la guerre», indiquaient par signes à leurs vainqueurs obéissants le travail qu'il fallait entreprendre : fendre du bois, tremper la soupe, moudre le café ; un d'eux même lavait le linge de son hôtesse, une aïeule tout impotente.

Le comte, étonné, interrogea le bedeau qui sortait du presbytère. Le vieux rat d'église lui répondit : «Oh ! ceux-là ne sont pas méchants : c'est pas des Prussiens, à ce qu'on dit. Ils sont de plus loin, je ne sais pas bien d'où ; et ils ont tous laissé une femme et des enfants au pays ; ça ne les amuse pas, la guerre, allez ! Je suis sûr qu'on pleure bien aussi là-bas après les hommes ; et ça fournira une fameuse misère chez eux comme chez nous. Ici, encore, on n'est pas trop malheureux pour le moment, parce qu'ils ne font pas de mal et qu'ils travaillent comme s'ils étaient dans leurs maisons. Voyez-vous, Monsieur, entre pauvres gens, faut bien qu'on s'aide... C'est les grands qui font la guerre.»

Cornudet, indigné de l'entente cordiale établie entre les vainqueurs et les vaincus, se retira, préférant s'enfermer dans l'auberge. Loiseau eut un mot pour rire : «Ils repeuplent.» M. Carré-Lamadon eut un mot grave : «Ils réparent.» Mais on ne trouvait pas le cocher. À la fin on le découvrit dans le

café du village attablé fraternellement avec l'ordonnance de
l'officier. Le comte l'interpella :

«Ne vous avait-on pas donné l'ordre d'atteler pour huit
855 heures ?

— Ah bien oui, mais on m'en a donné un autre depuis.

— Lequel ?

— De ne pas atteler du tout.

— Qui vous a donné cet ordre ?

860 — Ma foi ! le commandant prussien.

— Pourquoi ?

— Je n'en sais rien. Allez lui demander. On me défend
d'atteler, moi je n'attelle pas. Voilà.

— C'est lui-même qui vous a dit cela ?

865 — Non, Monsieur : c'est l'aubergiste qui m'a donné
l'ordre de sa part.

— Quand ça ?

— Hier soir, comme j'allais me coucher.»

Les trois hommes rentrèrent fort inquiets.

870 On demanda M. Follenvie, mais la servante répondit que
Monsieur, à cause de son asthme, ne se levait jamais avant
dix heures. Il avait même formellement défendu de le
réveiller plus tôt, excepté en cas d'incendie.

On voulut voir l'officier, mais cela était impossible
875 absolument, bien qu'il logeât dans l'auberge. M. Follenvie
seul était autorisé à lui parler pour les affaires civiles. Alors
on attendit. Les femmes remontèrent dans leurs chambres,
et des futilités les occupèrent.

Cornudet s'installa sous la haute cheminée de la cuisine,
880 où flambait un grand feu. Il se fit apporter là une des petites
tables du café, une canette, et il tira sa pipe qui jouissait parmi
les démocrates d'une considération presque égale à la sienne,
comme si elle avait servi la patrie en servant à Cornudet.
C'était une superbe pipe en écume admirablement culottée[1],

---

1 *culottée* : recouverte, à l'intérieur, d'un dépôt noir.

885 aussi noire que les dents de son maître, mais parfumée,
recourbée, luisante, familière à sa main, et complétant sa
physionomie. Et il demeura immobile, les yeux tantôt fixés
sur la flamme du foyer, tantôt sur la mousse qui couronnait
sa chope ; et chaque fois qu'il avait bu, il passait d'un air
890 satisfait ses longs doigts maigres dans ses longs cheveux
gras, pendant qu'il humait sa moustache frangée d'écume.

Loiseau, sous prétexte de se dégourdir les jambes, alla
placer du vin aux débitants du pays. Le comte et le manufacturier se mirent à causer politique. Ils prévoyaient
895 l'avenir de la France. L'un croyait aux d'Orléans, l'autre à un
sauveur inconnu, un héros qui se révélerait quand tout
serait désespéré : un Du Guesclin[1], une Jeanne d'Arc[2] peut-
être ? ou un autre Napoléon I[er][3] ? Ah ! si le prince impérial[4]
n'était pas si jeune ! Cornudet, les écoutant, souriait en
900 homme qui sait le mot des destinées. Sa pipe embaumait la
cuisine.

Comme dix heures sonnaient, M. Follenvie parut. On
l'interrogea bien vite ; mais il ne put que répéter deux ou
trois fois, sans une variante, ces paroles : «L'officier m'a dit
905 comme ça : "Monsieur Follenvie, vous défendrez qu'on
attelle demain la voiture de ces voyageurs. Je ne veux pas
qu'ils partent sans mon ordre. Vous entendez. Ça suffit."»

Alors on voulut voir l'officier. Le comte lui envoya sa
carte où M. Carré-Lamadon ajouta son nom et tous ses
910 titres. Le Prussien fit répondre qu'il admettrait ces deux
hommes à lui parler quand il aurait déjeuné, c'est-à-dire
vers une heure.

1 *Du Guesclin* (1320-1380) : héros populaire, célèbre pour la lutte qu'il mena contre les Anglais durant la guerre de Cent Ans.
2 *Jeanne d'Arc* (1412-1431) : après avoir entendu les voix de trois saints lui ordonner de délivrer la France, elle s'engagea dans la guerre de Cent Ans.
3 *Napoléon Ier* : empereur des Français de 1804 à 1815.
4 *prince impérial* : Eugène-Louis Napoléon, fils de Napoléon III et de l'impératrice Eugénie ; il avait quatorze ans en 1870.

Les dames reparurent et l'on mangea quelque peu, malgré
l'inquiétude. Boule de Suif semblait malade et prodigieu-
915 sement troublée.

On achevait le café quand l'ordonnance vint chercher ces
messieurs.

Loiseau se joignit aux deux premiers; mais comme on
essayait d'entraîner Cornudet pour donner plus de solen-
920 nité à leur démarche, il déclara fièrement qu'il entendait
n'avoir jamais aucun rapport avec les Allemands; et il se
remit dans sa cheminée, demandant une autre canette.

Les trois hommes montèrent et furent introduits dans
la plus belle chambre de l'auberge, où l'officier les reçut,
925 étendu dans un fauteuil, les pieds sur la cheminée, fumant
une longue pipe de porcelaine, et enveloppé par une robe de
chambre flamboyante, dérobée sans doute dans la demeure
abandonnée de quelque bourgeois de mauvais goût. Il ne
se leva pas, ne les salua pas, ne les regarda pas. Il présentait
930 un magnifique échantillon de la goujaterie naturelle au
militaire victorieux.

Au bout de quelques instants il dit enfin :

« Qu'est-ce que fous foulez ? »

Le comte prit la parole : « Nous désirons partir, Monsieur.
935 — Non.

— Oserai-je vous demander la cause de ce refus ?

— Parce que che ne feux pas.

— Je vous ferai respectueusement observer, Monsieur,
que votre général en chef nous a délivré une permission de
940 départ pour gagner Dieppe, et je ne pense pas que nous
ayons rien fait pour mériter vos rigueurs.

— Che ne feux pas… foilà tout… Fous poufez tescentre. »

S'étant inclinés tous les trois, ils se retirèrent.

L'après-midi fut lamentable. On ne comprenait rien à ce
945 caprice d'Allemand, et les idées les plus singulières troublaient
les têtes. Tout le monde se tenait dans la cuisine, et l'on discutait sans fin, imaginant des choses invraisemblables. On

voulait peut-être les garder comme otages — mais dans
quel but ? — ou les emmener prisonniers ? ou, plutôt, leur
950 demander une rançon considérable ? À cette pensée, une
panique les affola. Les plus riches étaient les plus épouvantés,
se voyant déjà contraints, pour racheter leur vie, de verser
des sacs pleins d'or entre les mains de ce soldat insolent. Ils
se creusaient la cervelle pour découvrir des mensonges
955 acceptables, dissimuler leurs richesses, se faire passer pour
pauvres, très pauvres. Loiseau enleva sa chaîne de montre et
la cacha dans sa poche. La nuit qui tombait augmenta les
appréhensions. La lampe fut allumée, et, comme on avait
encore deux heures avant le dîner, Mme Loiseau proposa une
960 partie de trente et un[1]. Ce serait une distraction. On accepta.
Cornudet lui-même, ayant éteint sa pipe par politesse, y prit
part.

Le comte battit les cartes — donna — Boule de Suif avait
trente et un d'emblée ; et bientôt l'intérêt de la partie apaisa
965 la crainte qui hantait les esprits. Mais Cornudet s'aperçut
que le ménage Loiseau s'entendait pour tricher.

Comme on allait se mettre à table, M. Follenvie reparut,
et, de sa voix graillonnante, il prononça : «L'officier prussien
fait demander à Mlle Élisabeth Rousset si elle n'a pas encore
970 changé d'avis.»

Boule de Suif resta debout, toute pâle ; puis, devenant
subitement cramoisie, elle eut un tel étouffement de colère
qu'elle ne pouvait plus parler. Enfin elle éclata : «Vous lui
direz à cette crapule, à ce saligaud, à cette charogne de Prus-
975 sien, que jamais je ne voudrai ; vous entendez bien, jamais,
jamais, jamais !»

Le gros aubergiste sortit. Alors Boule de Suif fut entourée,
interrogée, sollicitée par tout le monde de dévoiler le
mystère de sa visite. Elle résista d'abord ; mais l'exaspération
980 l'emporta bientôt : «Ce qu'il veut ?... ce qu'il veut ?... Il veut

---

1 *partie de trente et un* : jeu de cartes où il faut atteindre ou s'approcher de trente et
   un points.

[…] l'officier les reçut, étendu dans un fauteuil, les pieds sur la cheminée, fumant une longue pipe de porcelaine, et enveloppé par une robe de chambre flamboyante, […]

Lignes 924 à 927.

coucher avec moi !» cria-t-elle. Personne ne se choqua du mot, tant l'indignation fut vive. Cornudet brisa sa chope en la reposant violemment sur la table. C'était une clameur de réprobation contre ce soudard[1] ignoble, un souffle de
985 colère, une union de tous pour la résistance, comme si l'on eût demandé à chacun une partie du sacrifice exigé d'elle. Le comte déclara avec dégoût que ces gens-là se conduisaient à la façon des anciens barbares. Les femmes surtout témoignèrent à Boule de Suif une commisération énergique
990 et caressante. Les bonnes sœurs, qui ne se montraient qu'aux repas, avaient baissé la tête et ne disaient rien.

On dîna néanmoins lorsque la première fureur fut apaisée ; mais on parla peu ; on songeait.

Les dames se retirèrent de bonne heure, et les hommes,
995 tout en fumant, organisèrent un écarté[2] auquel fut convié M. Follenvie, qu'on avait l'intention d'interroger habilement sur les moyens à employer pour vaincre la résistance de l'officier. Mais il ne songeait qu'à ses cartes, sans rien écouter, sans rien répondre ; et il répétait sans cesse : «Au
1000 jeu, Messieurs, au jeu.» Son attention était si tendue qu'il en oubliait de cracher, ce qui lui mettait parfois des points d'orgue[3] dans la poitrine. Ses poumons sifflants donnaient toute la gamme de l'asthme, depuis les notes graves et profondes jusqu'aux enrouements aigus des jeunes coqs
1005 essayant de chanter.

Il refusa même de monter quand sa femme, qui tombait de sommeil, vint le chercher. Alors elle partit toute seule, car elle était «du matin», toujours levée avec le soleil, tandis que son homme était «du soir», toujours prêt à passer la nuit
1010 avec des amis. Il lui cria : «Tu placeras mon lait de poule[4]

---

1 *soudard* : soldat grossier, brutal.
2 *écart*é : jeu où les joueurs peuvent écarter les cartes qui ne leur conviennent pas et les remplacer par de nouvelles.
3 *points d'orgue* : terme de musique qui désigne un signe placé sur une note pour en prolonger la durée ; les sifflements de M. Follenvie se prolongent.
4 *lait de poule* : jaune d'œuf battu avec du lait et de l'eau chaude sucrée et aromatisée.

devant le feu», et se remit à sa partie. Quand on vit bien qu'on n'en pourrait rien tirer, on déclara qu'il était temps de s'en aller, et chacun gagna son lit.

1015 On se leva encore d'assez bonne heure le lendemain, avec un espoir indéterminé, un désir plus grand de s'en aller, une terreur du jour à passer dans cette horrible petite auberge.

Hélas ! les chevaux restaient à l'écurie, le cocher demeurait invisible. On alla, par désœuvrement, tourner autour de la voiture.

1020 Le déjeuner fut bien triste ; et il s'était produit comme un refroidissement vis-à-vis de Boule de Suif, car la nuit, qui porte conseil, avait un peu modifié les jugements. On en voulait presque à cette fille, maintenant, de n'avoir pas été trouver secrètement le Prussien, afin de ménager, au 1025 réveil, une bonne surprise à ses compagnons. Quoi de plus simple ? Qui l'eût su d'ailleurs ? Elle aurait pu sauver les apparences en faisant dire à l'officier qu'elle prenait en pitié leur détresse. Pour elle ça avait si peu d'importance !

Mais personne n'avouait encore ces pensées.

1030 Dans l'après-midi, comme on s'ennuyait à périr, le comte proposa de faire une promenade aux alentours du village. Chacun s'enveloppa avec soin et la petite société partit, à l'exception de Cornudet, qui préférait rester près du feu, et des bonnes sœurs, qui passaient leurs journées dans l'église 1035 ou chez le curé.

Le froid, plus intense de jour en jour, piquait cruellement le nez et les oreilles ; les pieds devenaient si douloureux que chaque pas était une souffrance ; et lorsque la campagne se découvrit, elle leur apparut si effroyablement lugubre 1040 sous cette blancheur illimitée que tout le monde aussitôt retourna, l'âme glacée et le cœur serré.

Les quatre femmes marchaient devant, les trois hommes suivaient, un peu derrière.

Loiseau, qui comprenait la situation, demanda tout à 1045 coup si cette «garce-là» allait les faire rester longtemps encore dans un pareil endroit. Le comte, toujours courtois, dit qu'on ne pouvait exiger d'une femme un sacrifice aussi pénible, et qu'il devait venir d'elle-même. M. Carré-Lamadon remarqua que si les Français faisaient, comme il en était question, un retour offensif par Dieppe, la rencontre ne pourrait avoir lieu qu'à Tôtes. Cette réflexion rendit les deux autres soucieux. «Si l'on se sauvait à pied», dit Loiseau. Le comte haussa les épaules : «Y songez-vous, dans cette neige ? avec nos femmes ? Et puis nous serions tout de suite poursuivis, rattrapés en dix minutes, et ramenés prisonniers à la merci des soldats.» C'était vrai; on se tut.

Les dames parlaient toilette; mais une certaine contrainte semblait les désunir.

Tout à coup, au bout de la rue, l'officier parut. Sur la neige qui fermait l'horizon il profilait sa grande taille de guêpe en uniforme, et marchait, les genoux écartés, de ce mouvement particulier aux militaires qui s'efforcent de ne point maculer leurs bottes soigneusement cirées.

Il s'inclina en passant près des dames, et regarda dédaigneusement les hommes qui eurent, du reste, la dignité de ne point se découvrir, bien que Loiseau ébauchât un geste pour retirer sa coiffure.

Boule de Suif était devenue rouge jusqu'aux oreilles; et les trois femmes mariées ressentaient une grande humiliation d'être ainsi rencontrées par ce soldat, dans la compagnie de cette fille qu'il avait si cavalièrement traitée.

Alors on parla de lui, de sa tournure, de son visage. Mme Carré-Lamadon, qui avait connu beaucoup d'officiers et qui les jugeait en connaisseur, trouvait celui-là pas mal du tout; elle regrettait même qu'il ne fût pas français, parce qu'il ferait un fort joli hussard[1] dont toutes les femmes assurément raffoleraient.

---

1 *hussard* : soldat de la cavalerie légère, réputé pour son élégance et son pouvoir de séduction.

Une fois rentrés, on ne sut plus que faire. Des paroles aigres furent même échangées à propos de choses insigni-
1080 fiantes. Le dîner silencieux dura peu, et chacun monta se coucher, espérant dormir pour tuer le temps.

On descendit le lendemain avec des visages fatigués et des cœurs exaspérés. Les femmes parlaient à peine à Boule de Suif.

1085 Une cloche tinta. C'était pour un baptême. La grosse fille avait un enfant élevé chez des paysans d'Yvetot[1]. Elle ne le voyait pas une fois l'an, et n'y songeait jamais; mais la pensée de celui qu'on allait baptiser lui jeta au cœur une tendresse subite et violente pour le sien, et elle voulut
1090 absolument assister à la cérémonie.

Aussitôt qu'elle fut partie, tout le monde se regarda, puis on rapprocha les chaises, car on sentait bien qu'à la fin il fallait décider quelque chose. Loiseau eut une inspiration : il était d'avis de proposer à l'officier de garder Boule de Suif
1095 toute seule, et de laisser partir les autres.

M. Follenvie se chargea encore de la commission, mais il redescendit presque aussitôt. L'Allemand, qui connaissait la nature humaine, l'avait mis à la porte. Il prétendait retenir tout le monde tant que son désir ne serait pas satisfait.

1100 Alors le tempérament populacier de Mme Loiseau éclata : «Nous n'allons pourtant pas mourir de vieillesse ici. Puisque c'est son métier, à cette gueuse, de faire ça avec tous les hommes, je trouve qu'elle n'a pas le droit de refuser l'un plutôt que l'autre. Je vous demande un peu, ça a pris tout ce
1105 qu'elle a trouvé dans Rouen, même des cochers! oui, madame, le cocher de la préfecture! Je le sais bien, moi, il achète son vin à la maison. Et aujourd'hui qu'il s'agit de nous tirer d'embarras, elle fait la mijaurée, cette morveuse!... Moi, je trouve qu'il se conduit très bien, cet
1110 officier. Il est peut-être privé depuis longtemps; et nous

---

1 *Yvetot*: ville située à environ 35 km au nord-ouest de Rouen et 20 km au sud-ouest de Tôtes.

étions là trois qu'il aurait sans doute préférées. Mais non, il se contente de celle à tout le monde. Il respecte les femmes mariées. Songez donc, il est le maître. Il n'avait qu'à dire : "Je veux", et il pouvait nous prendre de force avec ses soldats.»

1115   Les deux femmes eurent un petit frisson. Les yeux de la jolie Mme Carré-Lamadon brillaient, et elle était un peu pâle, comme si elle se sentait déjà prise de force par l'officier.

Les hommes, qui discutaient à l'écart, se rapprochèrent. Loiseau, furibond, voulait livrer «cette misérable» pieds et
1120   poings liés à l'ennemi. Mais le comte, issu de trois généra-tions d'ambassadeurs, et doué d'un physique de diplomate, était partisan de l'habileté : «Il faudrait la décider», dit-il.

Alors on conspira.

Les femmes se serrèrent, le ton de la voix fut baissé, et la
1125   discussion devint générale, chacun donnant son avis. C'était fort convenable du reste. Ces dames surtout trouvaient des délicatesses de tournures, des subtilités d'expression char-mantes, pour dire les choses les plus scabreuses. Un étranger n'aurait rien compris tant les précautions du langage étaient
1130   observées. Mais la légère tranche de pudeur dont est bardée toute femme du monde ne recouvrant que la surface, elles s'épanouissaient dans cette aventure polissonne, s'amusaient follement au fond, se sentant dans leur élément, tripotant de l'amour avec la sensualité d'un cuisinier gourmand qui
1135   prépare le souper d'un autre.

La gaieté revenait d'elle-même, tant l'histoire leur sem-blait drôle à la fin. Le comte trouva des plaisanteries un peu risquées, mais si bien dites qu'elles faisaient sourire. À son tour Loiseau lâcha quelques grivoiseries plus raides dont on
1140   ne se blessa point ; et la pensée brutalement exprimée par sa femme dominait tous les esprits : «Puisque c'est son métier à cette fille, pourquoi refuserait-elle celui-là plus qu'un autre ?» La gentille Mme Carré-Lamadon semblait même penser qu'à sa place elle refuserait celui-là moins qu'un
1145   autre.

On prépara longuement le blocus, comme pour une forteresse investie. Chacun convint du rôle qu'il jouerait, des arguments dont il s'appuierait, des manœuvres qu'il devrait exécuter. On régla le plan des attaques, les ruses à 1150 employer, et les surprises de l'assaut, pour forcer cette citadelle vivante à recevoir l'ennemi dans la place.

Cornudet cependant restait à l'écart, complètement étranger à cette affaire.

Une attention si profonde tendait les esprits, qu'on 1155 n'entendit point rentrer Boule de Suif. Mais le comte souffla un léger : «Chut» qui fit relever tous les yeux. Elle était là. On se tut brusquement, et un certain embarras empêcha d'abord de lui parler. La comtesse, plus assouplie que les autres aux duplicités des salons, l'interrogea : «Était-ce 1160 amusant, ce baptême ?»

La grosse fille, encore émue, raconta tout, et les figures, et les attitudes, et l'aspect même de l'église. Elle ajouta : «C'est si bon de prier quelquefois.»

Cependant, jusqu'au déjeuner, ces dames se contentèrent 1165 d'être aimables avec elle, pour augmenter sa confiance et sa docilité à leurs conseils.

Aussitôt à table, on commença les approches. Ce fut d'abord une conversation vague sur le dévouement. On cita des exemples anciens : Judith et Holopherne[1], puis, sans aucune 1170 raison, Lucrèce avec Sextus[2], Cléopâtre[3] faisant passer par sa couche tous les généraux ennemis, et les y réduisant à des servilités d'esclave. Alors se déroula une histoire fantaisiste, éclose dans l'imagination de ces millionnaires ignorants,

---

1 *Judith et Holopherne* : Judith est une héroïne juive qui, pour sauver la ville de Béthulie, séduisit Holopherne, le général ennemi, et lui coupa la tête pendant son ivresse.

2 *Lucrèce avec Sextus* : Lucrèce est une héroïne romaine qui se suicida après avoir été violée par le roi Sextus Tarquin (509 av. J.-C.). Ce drame souleva la révolte et entraîna la chute de la royauté.

3 *Cléopâtre* (69-30 av. J.-C.) : reine d'Égypte qui séduisit les généraux romains, César et Marc-Antoine.

où les citoyennes de Rome allaient endormir, à Capoue,
1175 Annibal[1] entre leurs bras, et, avec lui, ses lieutenants, et les
phalanges des mercenaires. On cita toutes les femmes qui
ont arrêté des conquérants, fait de leur corps un champ de
bataille, un moyen de dominer, une arme, qui ont vaincu
par leurs caresses héroïques des êtres hideux ou détestés, et
1180 sacrifié leur chasteté à la vengeance et au dévouement.

On parla même en termes voilés de cette Anglaise de
grande famille qui s'était laissé inoculer une horrible et
contagieuse maladie pour la transmettre à Bonaparte sauvé
miraculeusement, par une faiblesse subite, à l'heure du
1185 rendez-vous fatal[2].

Et tout cela était raconté d'une façon convenable et
modérée, où parfois éclatait un enthousiasme voulu propre
à exciter l'émulation.

On aurait pu croire, à la fin, que le seul rôle de la femme,
1190 ici-bas, était un perpétuel sacrifice de sa personne, un aban-
don continu aux caprices des soldatesques[3].

Les deux bonnes sœurs ne semblaient point entendre, perdues en des pensées profondes. Boule de Suif ne disait rien.

Pendant toute l'après-midi, on la laissa réfléchir. Mais, au
1195 lieu de l'appeler «madame», comme on avait fait jusque-là,
on lui disait simplement «mademoiselle», sans que personne sût bien pourquoi, comme si l'on avait voulu la faire
descendre d'un degré dans l'estime qu'elle avait escaladée,
lui faire sentir sa situation honteuse.

1200 Au moment où l'on servit le potage, M. Follenvie reparut,
répétant sa phrase de la veille : «L'officier prussien fait
demander à Mlle Élisabeth Rousset si elle n'a point encore
changé d'avis.»

---

1 *Annibal* ou Hannibal (247-183 av. J.-C.) : général carthaginois qui, en 215 av. J.-C.,
s'empara de la ville de Capoue en Italie. L'histoire veut que ses troupes aient
perdu leur combativité dans les plaisirs offerts dans cette ville ; les Romains la
reprirent en 211 av. J.-C.

2 Lire «Le Lit 29», conte que Maupassant a écrit sur un sujet semblable.

3 *soldatesques* (terme péjoratif) : ensemble de soldats brutaux et indisciplinés.

Boule de Suif répondit sèchement : «Non, Monsieur.»

1205 Mais au dîner la coalition faiblit. Loiseau eut trois phrases malheureuses. Chacun se battait les flancs[1] pour découvrir des exemples nouveaux et ne trouvait rien, quand la comtesse, sans préméditation peut-être, éprouvant un vague besoin de rendre hommage à la Religion, interrogea la
1210 plus âgée des bonnes sœurs sur les grands faits de la vie des saints. Or beaucoup avaient commis des actes qui seraient des crimes à nos yeux; mais l'Église absout sans peine ces forfaits quand ils sont accomplis pour la gloire de Dieu ou pour le bien du prochain. C'était un argument puissant; la
1215 comtesse en profita. Alors, soit par une de ces ententes tacites, de ces complaisances voilées, où excelle quiconque porte un habit ecclésiastique, soit simplement par l'effet d'une inintelligence heureuse, d'une secourable bêtise, la vieille religieuse apporta à la conspiration un formidable
1220 appui. On la croyait timide, elle se montra hardie, verbeuse, violente. Celle-là n'était pas troublée par les tâtonnements de la casuistique[2]; sa doctrine semblait une barre de fer; sa foi n'hésitait jamais; sa conscience n'avait point de scrupules. Elle trouvait tout simple le sacrifice d'Abraham[3],
1225 car elle aurait immédiatement tué père et mère sur un ordre venu d'en haut; et rien, à son avis, ne pouvait déplaire au Seigneur quand l'intention était louable. La comtesse, mettant à profit l'autorité sacrée de sa complice inattendue, lui fit faire comme une paraphrase édifiante de cet axiome de
1230 morale : «La fin justifie les moyens.»

Elle l'interrogeait :

«Alors, ma sœur, vous pensez que Dieu accepte toutes les voies, et pardonne le fait quand le motif est pur ?

---

1 *se battait les flancs* : s'efforçait en vain.

2 *casuistique* : partie de la théologie morale qui s'occupe des cas de conscience.

3 *Abraham* : patriarche biblique qui, pour obéir à Dieu, accepte de tuer son fils Isaac. À la dernière minute, un ange arrête son bras et un bélier remplace Isaac qui est ainsi sauvé.

— Qui pourrait en douter, Madame ? Une action
1235 blâmable en soi devient souvent méritoire par la pensée qui
l'inspire. »

Et elles continuaient ainsi, démêlant les volontés de Dieu,
prévoyant ses décisions, le faisant s'intéresser à des choses
qui, vraiment, ne le regardaient guère.

1240 Tout cela était enveloppé, habile, discret. Mais chaque
parole de la sainte fille en cornette faisait brèche dans la
résistance indignée de la courtisane. Puis, la conversation se
détournant un peu, la femme aux chapelets pendants parla
des maisons de son ordre, de sa supérieure, d'elle-même, et
1245 de sa mignonne voisine, la chère sœur Saint-Nicéphore. On
les avait demandées au Havre pour soigner dans les hôpi-
taux des centaines de soldats atteints de la petite vérole.
Elles les dépeignit, ces misérables, détailla leur maladie. Et
tandis qu'elles étaient arrêtées en route par les caprices de ce
1250 Prussien, un grand nombre de Français pouvaient mourir
qu'elles auraient sauvés peut-être ! C'était sa spécialité, à
elle, de soigner les militaires ; elle avait été en Crimée[1], en
Italie, en Autriche, et, racontant ses campagnes, elle se révéla
tout à coup une de ces religieuses à tambours et à trom-
1255 pettes qui semblent faites pour suivre les camps, ramasser
des blessés dans les remous des batailles, et, mieux qu'un
chef, dompter d'un mot les grands soudards indisciplinés ;
une vraie bonne sœur Ran-tan-plan dont la figure ravagée,
crevée de trous sans nombre, paraissait une image des
1260 dévastations de la guerre.

Personne ne dit rien après elle, tant l'effet semblait
excellent.

Aussitôt le repas terminé on remonta bien vite dans les
chambres pour ne descendre, le lendemain, qu'assez tard
1265 dans la matinée.

---

1 *Crimée* : presqu'île de la mer Noire où eut lieu, en 1854 et 1855, une guerre qui
opposa la Russie à d'autres pays dont la France.

Le déjeuner fut tranquille. On donnait à la graine semée la veille le temps de germer et de pousser ses fruits.

La comtesse proposa de faire une promenade dans l'après-midi; alors le comte, comme il était convenu, prit le bras de
1270 Boule de Suif, et demeura derrière les autres, avec elle.

Il lui parla de ce ton familier, paternel, un peu dédaigneux, que les hommes posés emploient avec les filles, l'appelant «ma chère enfant», la traitant du haut de sa position sociale, de son honorabilité indiscutée. Il pénétra tout de suite au vif
1275 de la question:

«Donc vous préférez nous laisser ici, exposés comme vous-même à toutes les violences qui suivraient un échec des troupes prussiennes, plutôt que de consentir à une de ces complaisances que vous avez eues si souvent en votre vie?»
1280 Boule de Suif ne répondit rien.

Il la prit par la douceur, par le raisonnement, par les sentiments. Il sut rester «monsieur le comte», tout en se montrant galant quand il le fallut, complimenteur, aimable enfin. Il exalta le service qu'elle leur rendrait, parla de leur
1285 reconnaissance; puis soudain, la tutoyant gaiement: «Et tu sais, ma chère, il pourrait se vanter d'avoir goûté d'une jolie fille comme il n'en trouvera pas beaucoup dans son pays.»

Boule de Suif ne répondit pas et rejoignit la société.

Aussitôt rentrée, elle monta chez elle et ne reparut plus.
1290 L'inquiétude était extrême. Qu'allait-elle faire? Si elle résistait, quel embarras!

L'heure du dîner sonna; on l'attendit en vain. M. Follenvie, entrant alors, annonça que Mlle Rousset se sentait indisposée, et qu'on pouvait se mettre à table. Tout le
1295 monde dressa l'oreille. Le comte s'approcha de l'aubergiste, et, tout bas: «Ça y est? — Oui.» Par convenance, il ne dit rien à ses compagnons, mais il leur fit seulement un léger signe de la tête. Aussitôt un grand soupir de soulagement sortit de toutes les poitrines, une allégresse parut sur les
1300 visages. Loiseau cria: «Saperlipopette! je paye du champagne

si l'on en trouve dans l'établissement»; et Mme Loiseau eut
une angoisse lorsque le patron revint avec quatre bouteilles
aux mains. Chacun était devenu subitement communicatif
et bruyant; une joie égrillarde emplissait les cœurs. Le
1305 comte parut s'apercevoir que Mme Carré-Lamadon était
charmante, le manufacturier fit des compliments à la
comtesse. La conversation fut vive, enjouée, pleine de traits[1].

Tout à coup, Loiseau, la face anxieuse et levant les bras,
hurla : «Silence!» Tout le monde se tut, surpris, presque
1310 effrayé déjà. Alors il tendit l'oreille en faisant «Chut!» des
deux mains, leva les yeux vers le plafond, écouta de
nouveau, et reprit, de sa voix naturelle : «Rassurez-vous,
tout va bien.»

On hésitait à comprendre, mais bientôt un sourire passa.
1315 Au bout d'un quart d'heure il recommença la même farce,
la renouvela souvent dans la soirée; et il faisait semblant
d'interpeller quelqu'un à l'étage au-dessus, en lui donnant
des conseils à double sens puisés dans son esprit de commis
voyageur. Par moments il prenait un air triste pour soupirer :
1320 «Pauvre fille!» ou bien il murmurait entre ses dents d'un air
rageur : «Gueux de Prussien, va!» Quelquefois, au moment
où l'on n'y songeait plus, il poussait, d'une voix vibrante,
plusieurs : «Assez! Assez!» et ajoutait, comme se parlant à
lui-même : «Pourvu que nous la revoyions; qu'il ne l'en
1325 fasse pas mourir, le misérable!»

Bien que ces plaisanteries fussent d'un goût déplorable,
elles amusaient et ne blessaient personne, car l'indignation
dépend des milieux comme le reste, et l'atmosphère qui
s'était peu à peu créée autour d'eux était chargée de pensées
1330 grivoises.

Au dessert, les femmes elles-mêmes firent des allusions
spirituelles et discrètes. Les regards luisaient; on avait bu
beaucoup. Le comte, qui conservait, même en ses écarts, sa

---

1 *traits* : expressions spirituelles, mots d'esprit.

grande apparence de gravité, trouva une comparaison fort
1335 goûtée sur la fin des hivernages[1] au pôle et la joie des
naufragés qui voient s'ouvrir une route vers le sud.

Loiseau, lancé, se leva, un verre de champagne à la main :
« Je bois à notre délivrance ! » Tout le monde fut debout ; on
l'acclamait. Les deux bonnes sœurs, elles-mêmes, sollicitées
1340 par ces dames, consentirent à tremper leurs lèvres dans
ce vin mousseux dont elles n'avaient jamais goûté. Elles
déclarèrent que cela ressemblait à la limonade gazeuse, mais
que c'était plus fin cependant.

Loiseau résuma la situation.

1345 « C'est malheureux de ne pas avoir de piano parce qu'on
pourrait pincer un quadrille[2]. »

Cornudet n'avait pas dit un mot, pas fait un geste ; il
paraissait même plongé dans des pensées très graves, et
tirait parfois, d'un geste furieux, sa grande barbe qu'il
1350 semblait vouloir allonger encore. Enfin, vers minuit, comme
on allait se séparer, Loiseau, qui titubait, lui tapa soudain sur
le ventre et lui dit en bredouillant : « Vous n'êtes pas farce[3],
vous, ce soir ; vous ne dites rien, citoyen ? » Mais Cornudet
releva brusquement la tête, et parcourant la société d'un
1355 regard luisant et terrible : « Je vous dis à tous que vous venez
de faire une infamie ! » Il se leva, gagna la porte, répéta
encore une fois : « Une infamie ! » et disparut.

Cela jeta un froid d'abord. Loiseau, interloqué, restait
bête ; mais il reprit son aplomb, puis, tout à coup, se
1360 tordit en répétant : « Ils sont trop verts[4], mon vieux, ils sont
trop verts. » Comme on ne comprenait pas, il raconta les
« mystères du corridor ». Alors il y eut une reprise de gaieté

---

1 *hivernages* : temps de la mauvaise saison que les navires passent à l'abri.

2 *pincer un quadrille* : jouer l'air (habituellement sur un instrument à cordes) d'un
   quadrille, danse à la mode au XIXe siècle.

3 *Vous n'êtes pas farce* (familier et vieilli) : Vous n'êtes pas drôle.

4 *Ils sont trop verts* : allusion à la fable de La Fontaine, « Le Renard et les raisins »,
   dans laquelle un renard affamé ne peut atteindre des raisins mûrs et affirme ne
   pas les manger parce qu'ils sont trop verts.

formidable. Ces dames s'amusaient comme des folles. Le comte et M. Carré-Lamadon pleuraient à force de rire. Ils ne
1365 pouvaient croire.

«Comment! Vous êtes sûr? Il voulait…

— Je vous dis que je l'ai vu.

— Et, elle a refusé…

— Parce que le Prussien était dans la chambre à côté.

1370 — Pas possible?

— Je vous jure.»

Le comte étouffait. L'industriel se comprimait le ventre à deux mains. Loiseau continuait :

«Et, vous comprenez, ce soir, il ne la trouve pas drôle,
1375 mais pas du tout.»

Et tous les trois repartaient, malades, essoufflés, toussant.

On se sépara là-dessus. Mais Mme Loiseau, qui était de la nature des orties, fit remarquer à son mari, au moment où ils se couchaient, que «cette chipie» de petite Carré-
1380 Lamadon avait ri jaune toute la soirée : «Tu sais, les femmes, quand ça en tient[1] pour l'uniforme, qu'il soit français ou bien prussien, ça leur est, ma foi, bien égal. Si ce n'est pas une pitié, Seigneur Dieu!»

Et toute la nuit, dans l'obscurité du corridor coururent
1385 comme des frémissements, des bruits légers, à peine sensibles, pareils à des souffles, des effleurements de pieds nus, d'imperceptibles craquements. Et l'on ne dormit que très tard, assurément, car des filets de lumière glissèrent longtemps sous les portes. Le champagne a de ces effets-là ;
1390 il trouble, dit-on, le sommeil.

Le lendemain, un clair soleil d'hiver rendait la neige éblouissante. La diligence, attelée enfin, attendait devant la porte, tandis qu'une armée de pigeons blancs, rengorgés dans leurs plumes épaisses, avec un œil rose, taché, au
1395 milieu, d'un point noir, se promenaient gravement entre les

---

1 *ça en tient* (familier) : ça aime.

jambes des six chevaux, et cherchaient leur vie dans le crottin fumant qu'ils éparpillaient.

Le cocher, enveloppé dans sa peau de mouton, grillait une pipe sur le siège, et tous les voyageurs radieux faisaient 1400 rapidement empaqueter des provisions pour le reste du voyage.

On n'attendait plus que Boule de Suif. Elle parut.

Elle semblait un peu troublée, honteuse, et elle s'avança timidement vers ses compagnons, qui, tous, d'un même 1405 mouvement, se détournèrent comme s'ils ne l'avaient pas aperçue. Le comte prit avec dignité le bras de sa femme et l'éloigna de ce contact impur.

La grosse fille s'arrêta, stupéfaite; alors, ramassant tout son courage, elle aborda la femme du manufacturier d'un 1410 «bonjour, Madame» humblement murmuré. L'autre fit de la tête seule un petit salut impertinent qu'elle accompagna d'un regard de vertu outragée. Tout le monde semblait affairé, et l'on se tenait loin d'elle comme si elle eût apporté une infection dans ses jupes. Puis on se précipita vers la 1415 voiture où elle arriva seule, la dernière, et reprit en silence la place qu'elle avait occupée pendant la première partie de la route.

On semblait ne pas la voir, ne pas la connaître; mais Mme Loiseau, la considérant de loin avec indignation, dit à 1420 mi-voix à son mari: «Heureusement que je ne suis pas à côté d'elle.»

La lourde voiture s'ébranla, et le voyage recommença.

On ne parla point d'abord. Boule de Suif n'osait pas lever les yeux. Elle se sentait en même temps indignée contre tous 1425 ses voisins, et humiliée d'avoir cédé, souillée par les baisers de ce Prussien entre les bras duquel on l'avait hypocritement jetée.

Mais la comtesse, se tournant vers Mme Carré-Lamadon, rompit bientôt ce pénible silence.

1430   «Vous connaissez, je crois, Mme d'Étrelles?

— Oui, c'est une de mes amies.

— Quelle charmante femme !

— Ravissante ! Une vraie nature d'élite, fort instruite d'ailleurs, et artiste jusqu'au bout des doigts : elle chante à
1435 ravir et dessine dans la perfection !»

Le manufacturier causait avec le comte, et au milieu du fracas des vitres un mot parfois jaillissait : «Coupon — échéance — prime — à terme.»

Loiseau, qui avait chipé le vieux jeu de cartes de l'au-
1440 berge, engraissé par cinq ans de frottement sur les tables mal essuyées, attaqua un bésigue[1] avec sa femme.

Les bonnes sœurs prirent à leur ceinture le long rosaire qui pendait, firent ensemble le signe de la croix, et tout à coup leurs lèvres se mirent à remuer vivement, se hâtant de
1445 plus en plus, précipitant leur vague murmure comme pour une course d'*oremus*[2] ; et de temps en temps elles baisaient une médaille, se signaient de nouveau, puis recommençaient leur marmottement rapide et continu.

Cornudet songeait, immobile.

1450 Au bout de trois heures de route, Loiseau ramassa ses cartes : «Il fait faim», dit-il.

Alors sa femme atteignit un paquet ficelé d'où elle fit sortir un morceau de veau froid. Elle le découpa proprement par tranches minces et fermes, et tous deux se mirent à
1455 manger. «Si nous en faisions autant», dit la comtesse. On y consentit et elle déballa les provisions préparées pour les deux ménages. C'était, dans un de ces vases allongés dont le couvercle porte un lièvre en faïence, pour indiquer qu'un lièvre en pâté gît au-dessous, une charcuterie succulente, où
1460 de blanches rivières de lard traversaient la chair brune du gibier, mêlée à d'autres viandes hachées fin. Un beau carré de gruyère, apporté dans un journal, gardait imprimé : «faits divers» sur sa pâte onctueuse.

---

1 *bésigue* : jeu de cartes.
2 *oremus* : prions, en latin. Ici, prières, oraisons.

Les deux bonnes sœurs développèrent un rond de saucisson
1465 qui sentait l'ail ; et Cornudet, plongeant les deux mains en
même temps dans les vastes poches de son paletot, tira
de l'une quatre œufs durs et de l'autre le croûton d'un pain.
Il détacha la coque, la jeta sous ses pieds dans la paille et se
mit à mordre à même les œufs, faisant tomber sur sa vaste
1470 barbe des parcelles de jaune clair qui semblaient, là-dedans,
des étoiles.

Boule de Suif, dans la hâte et l'effarement de son lever,
n'avait pu songer à rien ; et elle regardait, exaspérée, suffo-
quant de rage, tous ces gens qui mangeaient placidement.
1475 Une colère tumultueuse la crispa d'abord, et elle ouvrit la
bouche pour leur crier leur fait avec un flot d'injures qui
lui montait aux lèvres ; mais elle ne pouvait pas parler tant
l'exaspération l'étranglait.

Personne ne la regardait, ne songeait à elle. Elle se sentait
1480 noyée dans le mépris de ces gredins honnêtes qui l'avaient
sacrifiée d'abord, rejetée ensuite, comme une chose malpropre et inutile. Alors elle songea à son grand panier tout
plein de bonnes choses qu'ils avaient goulûment dévorées, à
ses deux poulets luisants de gelée, à ses pâtés, à ses poires, à ses
1485 quatre bouteilles de bordeaux ; et sa fureur tombant soudain,
comme une corde trop tendue qui casse, elle se sentit prête à
pleurer. Elle fit des efforts terribles, se raidit, avala ses sanglots
comme les enfants ; mais les pleurs montaient, luisaient au
bord de ses paupières, et bientôt deux grosses larmes, se
1490 détachant des yeux, roulèrent lentement sur ses joues.
D'autres les suivirent plus rapides, coulant comme les gouttes
d'eau qui filtrent d'une roche, et tombant régulièrement sur la
courbe rebondie de sa poitrine. Elle restait droite, le regard
fixe, la face rigide et pâle, espérant qu'on ne la verrait pas.
1495 Mais la comtesse s'en aperçut et prévint son mari d'un
signe. Il haussa les épaules comme pour dire : «Que voulez-
vous ? ce n'est pas ma faute.» Mme Loiseau eut un rire muet
de triomphe, et murmura : «Elle pleure sa honte.»

Les deux bonnes sœurs s'étaient remises à prier, après
1500 avoir roulé dans un papier le reste de leur saucisson.

Alors Cornudet, qui digérait ses œufs, étendit ses longues
jambes sous la banquette d'en face, se renversa, croisa ses
bras, sourit comme un homme qui vient de trouver une
bonne farce, et se mit à siffloter *La Marseillaise*[1].

1505 Toutes les figures se rembrunirent. Le chant populaire,
assurément, ne plaisait point à ses voisins. Ils devinrent
nerveux, agacés, et avaient l'air prêts à hurler comme des
chiens qui entendent un orgue de Barbarie. Il s'en aperçut,
ne s'arrêta plus. Parfois même il fredonnait les paroles :

1510 *Amour sacré de la patrie*
Conduis, soutiens, nos bras vengeurs,
Liberté, liberté chérie,
Combats avec tes défenseurs !

On fuyait plus vite, la neige étant plus dure ; et jusqu'à
1515 Dieppe, pendant les longues heures mornes du voyage, à
travers les cahots du chemin, par la nuit tombante, puis
dans l'obscurité profonde de la voiture, il continua, avec une
obstination féroce, son sifflement vengeur et monotone,
contraignant les esprits las et exaspérés à suivre le chant
1520 d'un bout à l'autre, à se rappeler chaque parole qu'ils
appliquaient sur chaque mesure.

Et Boule de Suif pleurait toujours ; et parfois un sanglot,
qu'elle n'avait pu retenir, passait, entre deux couplets, dans
les ténèbres.

---

1   *La Marseillaise* : chant révolutionnaire des Marseillais interdit sous le second
Empire ; il ne peut qu'irriter les bourgeois conservateurs. Il ne deviendra l'hymne
national des Français qu'en 1879.

Boule de Suif.

*Elle l'attacha autour de sa gorge, sur sa robe montante,
et demeura en extase devant elle-même.*

Lignes 135 et 136.

La Parure

C'était une de ces jolies et charmantes filles, nées, comme par une erreur du destin, dans une famille d'employés. Elle n'avait pas de dot[1], pas d'espérances[2], aucun moyen d'être connue, comprise, aimée, épousée par un homme riche et distingué ; et elle se laissa marier avec un petit commis du ministère de l'Instruction publique[3].

Elle fut simple, ne pouvant être parée, mais malheureuse comme une déclassée ; car les femmes n'ont point de caste[4] ni de race, leur beauté, leur grâce et leur charme leur servant de naissance et de famille. Leur finesse native, leur instinct d'élégance, leur souplesse d'esprit sont leur seule hiérarchie, et font des filles du peuple les égales des plus grandes dames.

Elle souffrait sans cesse, se sentant née pour toutes les délicatesses et tous les luxes. Elle souffrait de la pauvreté de son logement, de la misère des murs, de l'usure des sièges, de la laideur des étoffes. Toutes ces choses, dont une autre femme de sa caste ne se serait même pas aperçue, la torturaient et l'indignaient. La vue de la petite Bretonne qui faisait son humble ménage éveillait en elle des regrets désolés et des rêves éperdus. Elle songeait aux antichambres[5] muettes, capitonnées avec des tentures orientales, éclairées par de hautes torchères[6] de bronze, et aux deux grands valets en culotte courte qui dorment dans les larges fauteuils, assoupis par la chaleur lourde du calorifère. Elle songeait aux grands salons vêtus de soie ancienne, aux meubles fins portant des bibelots inestimables, et aux petits

---

1 *dot* : biens qu'une femme apporte en se mariant.

2 *espérances* : biens qu'on attend d'un héritage.

3 Maupassant a travaillé, comme fonctionnaire, au ministère de l'Instruction publique, de décembre 1878 à 1880.

4 *caste* : classe sociale fermée.

5 *antichambres* : pièces d'attente placées à l'entrée d'un grand appartement ou d'un salon de réception.

6 *torchères* : grands candélabres

salons coquets, parfumés, faits pour la causerie de cinq
heures avec les amis les plus intimes, les hommes connus
et recherchés dont toutes les femmes envient et désirent
30   l'attention.

Quand elle s'asseyait, pour dîner, devant la table ronde
couverte d'une nappe de trois jours, en face de son mari
qui découvrait la soupière en déclarant d'un air enchanté :
«Ah ! le bon pot-au-feu ! je ne sais rien de meilleur que
35   cela…», elle songeait aux dîners fins, aux argenteries
reluisantes, aux tapisseries peuplant les murailles de personnages anciens et d'oiseaux étranges au milieu d'une forêt
de féerie ; elle songeait aux plats exquis servis en des vaisselles merveilleuses, aux galanteries chuchotées et écoutées
40   avec un sourire de sphinx[1], tout en mangeant la chair rose
d'une truite ou des ailes de gélinotte[2].

Elle n'avait pas de toilettes, pas de bijoux, rien. Et elle
n'aimait que cela ; elle se sentait faite pour cela. Elle eût tant
désiré plaire, être enviée, être séduisante et recherchée.

45   Elle avait une amie riche, une camarade de couvent
qu'elle ne voulait plus aller voir, tant elle souffrait en
revenant. Et elle pleurait pendant des jours entiers, de
chagrin, de regret, de désespoir et de détresse.

※

Or, un soir, son mari rentra, l'air glorieux et tenant à la
50   main une large enveloppe.

— Tiens, dit-il, voici quelque chose pour toi.

Elle déchira vivement le papier et en tira une carte
imprimée qui portait ces mots :

«Le ministre de l'Instruction publique et Mme Georges
55   Ramponneau prient M. et Mme Loisel de leur faire l'honneur

---

1 *sphinx* : dans la mythologie, lion ailé à tête et buste de femme qui proposait une
   énigme aux voyageurs. «Sourire de sphinx» signifie «sourire énigmatique».
2 *gélinotte* : oiseau semblable à la perdrix.

de venir passer la soirée à l'hôtel du ministère, le lundi
18 janvier.»

Au lieu d'être ravie, comme l'espérait son mari, elle jeta
avec dépit l'invitation sur la table, murmurant :

60 — Que veux-tu que je fasse de cela ?

— Mais, ma chérie, je pensais que tu serais contente. Tu
ne sors jamais, et c'est une occasion, cela, une belle ! J'ai eu
une peine infinie à l'obtenir. Tout le monde en veut ; c'est très
recherché et on n'en donne pas beaucoup aux employés. Tu

65 verras là tout le monde officiel.

Elle le regardait d'un œil irrité, et elle déclara avec
impatience :

— Que veux-tu que je me mette sur le dos pour aller là ?

Il n'y avait pas songé ; il balbutia :

70 — Mais la robe avec laquelle tu vas au théâtre. Elle me
semble très bien, à moi…

Il se tut, stupéfait, éperdu, en voyant que sa femme
pleurait. Deux grosses larmes descendaient lentement des
coins des yeux vers les coins de la bouche ; il bégaya :

75 — Qu'as-tu ? qu'as-tu ?

Mais, par un effort violent, elle avait dompté sa peine et
elle répondit d'une voix calme en essuyant ses joues humides :

— Rien. Seulement je n'ai pas de toilette et par conséquent je ne peux aller à cette fête. Donne ta carte à quelque

80 collègue dont la femme sera mieux nippée[1] que moi.

Il était désolé. Il reprit :

— Voyons, Mathilde. Combien cela coûterait-il, une toilette convenable, qui pourrait te servir encore en d'autres
occasions, quelque chose de très simple ?

85 Elle réfléchit quelques secondes, établissant ses comptes
et songeant aussi à la somme qu'elle pouvait demander sans
s'attirer un refus immédiat et une exclamation effarée du
commis économe.

---

1 *nippée* : habillée.

Enfin, elle répondit en hésitant :

90   — Je ne sais pas au juste, mais il me semble qu'avec quatre cents francs je pourrais arriver.

Il avait un peu pâli, car il réservait juste cette somme pour acheter un fusil et s'offrir des parties de chasse, l'été suivant, dans la plaine de Nanterre[1], avec quelques amis qui

95   allaient tirer des alouettes, par là, le dimanche.

Il dit cependant :

— Soit. Je te donne quatre cents francs. Mais tâche d'avoir une belle robe.

✕✕✕

Le jour de la fête approchait, et Mme Loisel semblait triste,

100   inquiète, anxieuse. Sa toilette était prête cependant. Son mari lui dit un soir :

— Qu'as-tu ? Voyons, tu es toute drôle depuis trois jours.

Et elle répondit :

— Cela m'ennuie de n'avoir pas un bijou, pas une pierre,

105   rien à mettre sur moi. J'aurai l'air misère comme tout. J'aimerais presque mieux ne pas aller à cette soirée.

Il reprit :

— Tu mettras des fleurs naturelles. C'est très chic en cette saison-ci. Pour dix francs tu auras deux ou trois roses

110   magnifiques.

Elle n'était point convaincue.

— Non… il n'y a rien de plus humiliant que d'avoir l'air pauvre au milieu de femmes riches.

Mais son mari s'écria :

115   — Que tu es bête ! Va trouver ton amie Mme Forestier[2] et demande-lui de te prêter des bijoux. Tu es bien assez liée avec elle pour faire cela.

---

1   *Nanterre* : dans la banlieue nord-ouest de Paris.

2   *Mme Forestier* : nom d'un des personnages principaux du roman *Bel-Ami* auquel travaillait Maupassant quand il écrivit «La Parure».

Elle poussa un cri de joie.

— C'est vrai. Je n'y avais point pensé.

120 Le lendemain, elle se rendit chez son amie et lui conta sa détresse.

Mme Forestier alla vers son armoire à glace, prit un large coffret, l'apporta, l'ouvrit, et dit à Mme Loisel :

— Choisis, ma chère.

125 Elle vit d'abord des bracelets, puis un collier de perles, puis une croix vénitienne, or et pierreries, d'un admirable travail. Elle essayait les parures devant la glace, hésitait, ne pouvait se décider à les quitter, à les rendre. Elle demandait toujours :

130 — Tu n'as plus rien d'autre ?

— Mais si. Cherche. Je ne sais pas ce qui peut te plaire.

Tout à coup elle découvrit, dans une boîte de satin noir, une superbe rivière de diamants[1], et son cœur se mit à battre d'un désir immodéré. Ses mains tremblaient en la

135 prenant. Elle l'attacha autour de sa gorge, sur sa robe montante, et demeura en extase devant elle-même.

Puis, elle demanda, hésitante, pleine d'angoisse :

— Peux-tu me prêter cela, rien que cela ?

— Mais oui, certainement.

140 Elle sauta au cou de son amie, l'embrassa avec emportement, puis s'enfuit avec son trésor.

⁂

Le jour de la fête arriva. Mme Loisel eut un succès. Elle était plus jolie que toutes, élégante, gracieuse, souriante et folle de joie. Tous les hommes la regardaient, demandaient

145 son nom, cherchaient à être présentés. Tous les attachés du cabinet voulaient valser avec elle. Le ministre la remarqua.

---

1 *rivière de diamants* : collier de diamants.

Elle dansait avec ivresse, avec emportement, grisée par
le plaisir, ne pensant plus à rien, dans le triomphe de sa
beauté, dans la gloire de son succès, dans une sorte de
150 nuage de bonheur fait de tous ces hommages, de toutes ces
admirations, de tous ces désirs éveillés, de cette victoire si
complète et si douce au cœur des femmes.

Elle partit vers quatre heures du matin. Son mari, depuis
minuit, dormait dans un petit salon désert avec trois autres
155 messieurs dont les femmes s'amusaient beaucoup.

Il lui jeta sur les épaules les vêtements qu'il avait apportés
pour la sortie, modestes vêtements de la vie ordinaire, dont
la pauvreté jurait avec l'élégance de la toilette de bal. Elle le
sentit et voulut s'enfuir, pour ne pas être remarquée par les
160 autres femmes qui s'enveloppaient de riches fourrures.

Loisel la retenait :

— Attends donc. Tu vas attraper froid dehors. Je vais
appeler un fiacre[1].

Mais elle ne l'écoutait point et descendait rapidement
165 l'escalier. Lorsqu'ils furent dans la rue, ils ne trouvèrent pas
de voiture ; et ils se mirent à chercher, criant après les
cochers qu'ils voyaient passer de loin.

Ils descendaient vers la Seine, désespérés, grelottants.
Enfin ils trouvèrent sur le quai un de ces vieux coupés noc-
170 tambules qu'on ne voit dans Paris que la nuit venue, comme
s'ils eussent été honteux de leur misère pendant le jour.

Il les ramena jusqu'à leur porte, rue des Martyrs, et ils
remontèrent tristement chez eux. C'était fini, pour elle. Et il
songeait, lui, qu'il lui faudrait être au ministère à dix heures.

175 Elle ôta les vêtements dont elle s'était enveloppé les
épaules, devant la glace, afin de se voir encore une fois dans
sa gloire. Mais soudain elle poussa un cri. Elle n'avait plus sa
rivière autour du cou.

---

1 *fiacre* : voiture à cheval qu'on louait à la course, l'équivalent du taxi aujourd'hui.

Son mari, à moitié dévêtu déjà, demanda :

180 — Qu'est-ce que tu as ?

Elle se tourna vers lui, affolée :

— J'ai… j'ai… je n'ai plus la rivière de Mme Forestier.

Il se dressa, éperdu :

— Quoi !… comment !… Ce n'est pas possible !

185 Et ils cherchèrent dans les plis de la robe, dans les plis du manteau, dans les poches, partout. Ils ne la trouvèrent point.

Il demandait :

— Tu es sûre que tu l'avais encore en quittant le bal ?

— Oui, je l'ai touchée dans le vestibule du ministère.

190 — Mais, si tu l'avais perdue dans la rue, nous l'aurions entendue tomber. Elle doit être dans le fiacre.

— Oui. C'est probable. As-tu pris le numéro ?

— Non. Et toi, tu ne l'as pas regardé ?

— Non.

195 Ils se contemplaient atterrés. Enfin Loisel se rhabilla.

— Je vais, dit-il, refaire tout le trajet que nous avons fait à pied, pour voir si je ne la retrouverai pas.

Et il sortit. Elle demeura en toilette de soirée, sans force pour se coucher, abattue sur une chaise, sans feu, sans pensée.

200 Son mari rentra vers sept heures. Il n'avait rien trouvé.

Il se rendit à la Préfecture de police, aux journaux, pour faire promettre une récompense, aux compagnies de petites voitures, partout enfin où un soupçon d'espoir le poussait.

Elle attendit tout le jour, dans le même état d'effarement
205 devant cet affreux désastre.

Loisel revint le soir, avec la figure creusée, pâlie ; il n'avait rien découvert.

— Il faut, dit-il, écrire à ton amie que tu as brisé la fermeture de sa rivière et que tu la fais réparer. Cela nous
210 donnera le temps de nous retourner.

Elle écrivit sous sa dictée.

Au bout d'une semaine, ils avaient perdu toute espérance.

Et Loisel, vieilli de cinq ans, déclara :

215   — Il faut aviser à remplacer ce bijou.

Ils prirent, le lendemain, la boîte qui l'avait renfermé, et se rendirent chez le joaillier, dont le nom se trouvait dedans. Il consulta ses livres :

— Ce n'est pas moi, madame, qui ai vendu cette rivière ;
220   j'ai dû seulement fournir l'écrin.

Alors ils allèrent de bijoutier en bijoutier, cherchant une parure pareille à l'autre, consultant leurs souvenirs, malades tous deux de chagrin et d'angoisse.

Ils trouvèrent, dans une boutique du Palais-Royal, un
225   chapelet de diamants qui leur parut entièrement semblable à celui qu'ils cherchaient. Il valait quarante mille francs. On le leur laisserait à trente-six mille.

Ils prièrent donc le joaillier de ne pas le vendre avant trois jours. Et ils firent condition qu'on le reprendrait pour
230   trente-quatre mille francs, si le premier était retrouvé avant la fin de février.

Loisel possédait dix-huit mille francs que lui avait laissés son père. Il emprunterait le reste.

Il emprunta, demandant mille francs à l'un, cinq cents
235   à l'autre, cinq louis[1] par-ci, trois louis par-là. Il fit des billets[2], prit des engagements ruineux, eut affaire aux usuriers[3], à toutes les races de prêteurs. Il compromit toute la fin de son existence, risqua sa signature sans savoir même s'il pourrait y faire honneur, et, épouvanté par les angoisses
240   de l'avenir, par la noire misère qui allait s'abattre sur lui, par la perspective de toutes les privations physiques et de toutes les tortures morales, il alla chercher la rivière nouvelle, en déposant sur le comptoir du marchand trente-six mille francs.

---

1 *louis* : pièce d'or.

2 *billets* : reconnaissances de dettes.

3 *usuriers* : personnes qui prêtent à un taux d'intérêt élevé.

Quand Mme Loisel reporta la parure à Mme Forestier,
245 celle-ci lui dit, d'un air froissé :

— Tu aurais dû me la rendre plus tôt, car je pouvais en avoir besoin.

Elle n'ouvrit pas l'écrin, ce que redoutait son amie. Si elle s'était aperçue de la substitution, qu'aurait-elle pensé ?
250 qu'aurait-elle dit ? Ne l'aurait-elle pas prise pour une voleuse ?

Mme Loisel connut la vie horrible des nécessiteux[1]. Elle prit son parti, d'ailleurs, tout d'un coup, héroïquement. Il fallait payer cette dette effroyable. Elle payerait. On renvoya
255 la bonne ; on changea de logement ; on loua sous les toits une mansarde.

Elle connut les gros travaux du ménage, les odieuses besognes de la cuisine. Elle lava la vaisselle, usant ses ongles roses sur les poteries grasses et le fond des casseroles. Elle
260 savonna le linge sale, les chemises et les torchons, qu'elle faisait sécher sur une corde ; elle descendit à la rue, chaque matin, les ordures, et monta l'eau, s'arrêtant à chaque étage pour souffler. Et, vêtue comme une femme du peuple, elle alla chez le fruitier, chez l'épicier, chez le boucher, le panier
265 au bras, marchandant, injuriée, défendant sou à sou son misérable argent.

Il fallait chaque mois payer des billets, en renouveler d'autres, obtenir du temps.

Le mari travaillait, le soir, à mettre au net les comptes
270 d'un commerçant, et la nuit, souvent, il faisait de la copie à cinq sous la page.

Et cette vie dura dix ans.

---

1 *nécessiteux* : personnes très pauvres qui manquent du nécessaire.

Au bout de dix ans, ils avaient tout restitué, tout, avec le taux de l'usure, et l'accumulation des intérêts superposés.

275   Mme Loisel semblait vieille, maintenant. Elle était devenue la femme forte, et dure, et rude, des ménages pauvres. Mal peignée, avec les jupes de travers et les mains rouges, elle parlait haut, lavait à grande eau les planchers. Mais parfois, lorsque son mari était au bureau, elle s'asseyait auprès de la

280   fenêtre, et elle songeait à cette soirée d'autrefois, à ce bal où elle avait été si belle et si fêtée.

Que serait-il arrivé si elle n'avait point perdu cette parure ? Qui sait ? qui sait ? Comme la vie est singulière, changeante ! Comme il faut peu de chose pour vous perdre

285   ou vous sauver !

Or, un dimanche, comme elle était allée faire un tour aux Champs-Élysées[1] pour se délasser des besognes de la semaine, elle aperçut tout à coup une femme qui promenait un enfant. C'était Mme Forestier, toujours jeune, toujours

290   belle, toujours séduisante. Mme Loisel se sentit émue. Allait-elle lui parler ? Oui, certes. Et maintenant qu'elle avait payé, elle lui dirait tout. Pourquoi pas ?

Elle s'approcha.

— Bonjour, Jeanne.

295   L'autre ne la reconnaissait point, s'étonnant d'être appelée ainsi familièrement par cette bourgeoise. Elle balbutia :

— Mais… madame !… Je ne sais… Vous devez vous tromper.

300   — Non. Je suis Mathilde Loisel.

Son amie poussa un cri :

— Oh !… ma pauvre Mathilde, comme tu es changée !…

---

1 *Champs-Élysées* : vastes jardins à Paris.

— Oui, j'ai eu des jours bien durs, depuis que je ne t'ai vue ; et bien des misères… et cela à cause de toi !…

305   — De moi… Comment ça ?

— Tu te rappelles bien cette rivière de diamants que tu m'as prêtée pour aller à la fête du ministère.

— Oui. Eh bien ?

— Eh bien, je l'ai perdue.

310   — Comment ! puisque tu me l'as rapportée.

— Je t'en ai rapporté une autre toute pareille. Et voilà dix ans que nous la payons. Tu comprends que ça n'était pas aisé pour nous, qui n'avions rien… Enfin, c'est fini, et je suis rudement contente.

315   Mme Forestier s'était arrêtée.

— Tu dis que tu as acheté une rivière de diamants pour remplacer la mienne ?

— Oui. Tu ne t'en étais pas aperçue, hein ? Elles étaient bien pareilles.

320   Et elle souriait d'une joie orgueilleuse et naïve.

Mme Forestier, fort émue, lui prit les deux mains.

— Oh ! ma pauvre Mathilde ! Mais la mienne était fausse. Elle valait au plus cinq cents francs !…

ŒUVRES COMPLÈTES ILLUSTRÉES

DE

GUY DE MAUPASSANT

Le

Horla

Illustrations

DE

JULIAN-DAMAZY

Gravure sur bois

PAR

G. LEMOINE

PARIS
LIBRAIRIE OLLENDORFF

LE HORLA

8 mai. — Quelle journée admirable ! J'ai passé toute la matinée étendu sur l'herbe, devant ma maison, sous l'énorme platane qui la couvre, l'abrite et l'ombrage tout entière. J'aime ce pays, et j'aime y vivre parce que j'y ai mes racines, ces profondes et délicates racines, qui attachent un homme à la terre où sont nés et morts ses aïeux, qui l'attachent à ce qu'on pense et à ce qu'on mange, aux usages comme aux nourritures, aux locutions locales, aux intonations des paysans, aux odeurs du sol, des villages et de l'air lui-même.

J'aime ma maison[1] où j'ai grandi. De mes fenêtres, je vois la Seine qui coule, le long de mon jardin, derrière la route, presque chez moi, la grande et large Seine, qui va de Rouen au Havre[2], couverte de bateaux qui passent.

À gauche, là-bas, Rouen, la vaste ville aux toits bleus, sous le peuple pointu des clochers gothiques[3]. Ils sont innombrables, frêles ou larges, dominés par la flèche de fonte de la cathédrale, et pleins de cloches qui sonnent dans l'air bleu des belles matinées, jetant jusqu'à moi leur doux et lointain bourdonnement de fer, leur chant d'airain[4] que la brise m'apporte, tantôt plus fort et tantôt plus affaibli, suivant qu'elle s'éveille ou s'assoupit.

Comme il faisait bon ce matin !

Vers onze heures, un long convoi de navires, traînés par un remorqueur, gros comme une mouche, et qui râlait de peine en vomissant une fumée épaisse, défila devant ma grille.

Après deux goélettes[5] anglaises, dont le pavillon rouge ondoyait sur le ciel, venait un superbe trois-mâts brésilien,

---

1 Maupassant s'est inspiré de la maison de Flaubert, à Croisset, près de Rouen.
2 *Rouen et Le Havre* : deux villes de Normandie.
3 *gothiques* : l'art gothique est un style d'architecture né au XIIᵉ siècle dans le nord de la France.
4 *airain* : ancien nom du bronze.
5 *goélettes* : bâtiments légers à deux mâts.

tout blanc, admirablement propre et luisant. Je le saluai,
je ne sais pourquoi, tant ce navire me fit plaisir à voir.

12 mai. — J'ai un peu de fièvre depuis quelques jours ; je
me sens souffrant, ou plutôt je me sens triste.

D'où viennent ces influences[1] mystérieuses qui changent
en découragement notre bonheur et notre confiance en
détresse ? On dirait que l'air, l'air invisible est plein
d'inconnaissables Puissances, dont nous subissons les
voisinages mystérieux. Je m'éveille plein de gaieté, avec des
envies de chanter dans la gorge. — Pourquoi ? — Je
descends le long de l'eau ; et soudain, après une courte
promenade, je rentre désolé, comme si quelque malheur
m'attendait chez moi. — Pourquoi ? — Est-ce un frisson de
froid qui, frôlant ma peau, a ébranlé mes nerfs et assombri
mon âme ? Est-ce la forme des nuages, ou la couleur du
jour, la couleur des choses, si variable, qui, passant par
mes yeux, a troublé ma pensée ? Sait-on ? Tout ce qui nous
entoure, tout ce que nous voyons sans le regarder, tout
ce que nous frôlons sans le connaître, tout ce que nous
touchons sans le palper, tout ce que nous rencontrons sans
le distinguer, a sur nous, sur nos organes et, par eux, sur
nos idées, sur notre cœur lui-même, des effets rapides,
surprenants et inexplicables ?

Comme il est profond, ce mystère de l'Invisible ! Nous
ne le pouvons sonder avec nos sens misérables, avec nos
yeux qui ne savent apercevoir ni le trop petit, ni le trop
grand, ni le trop près, ni le trop loin, ni les habitants d'une
étoile, ni les habitants d'une goutte d'eau… avec nos oreilles
qui nous trompent, car elles nous transmettent les vibra-
tions de l'air en notes sonores. Elles sont des fées qui font ce
miracle de changer en bruit ce mouvement et par cette
métamorphose donnent naissance à la musique, qui rend

---

1 *influences* : par allusion au sens ancien du mot : flux en provenance des astres qui
agit sur l'humeur des hommes.

chantante l'agitation muette de la nature... avec notre odorat, plus faible que celui du chien... avec notre goût, qui peut à peine discerner l'âge d'un vin !

Ah ! si nous avions d'autres organes qui accompliraient en notre faveur d'autres miracles, que de choses nous pourrions découvrir encore autour de nous !

16 mai. — Je suis malade, décidément ! Je me portais si bien le mois dernier ! J'ai la fièvre, une fièvre atroce, ou plutôt un énervement fiévreux, qui rend mon âme aussi souffrante que mon corps. J'ai sans cesse cette sensation affreuse d'un danger menaçant, cette appréhension d'un malheur qui vient ou de la mort qui approche, ce pressentiment qui est sans doute l'atteinte d'un mal encore inconnu, germant dans le sang et dans la chair.

18 mai. — Je viens d'aller consulter mon médecin, car je ne pouvais plus dormir. Il m'a trouvé le pouls rapide, l'œil dilaté, les nerfs vibrants, mais sans aucun symptôme alarmant. Je dois me soumettre aux douches et boire du bromure de potassium[1].

25 mai. — Aucun changement ! Mon état, vraiment, est bizarre. À mesure qu'approche le soir, une inquiétude incompréhensible m'envahit, comme si la nuit cachait pour moi une menace terrible. Je dîne[2] vite, puis j'essaye de lire ; mais je ne comprends pas les mots ; je distingue à peine les lettres. Je marche alors dans mon salon de long en large, sous l'oppression d'une crainte confuse et irrésistible, la crainte du sommeil et la crainte du lit.

Vers dix heures, je monte dans ma chambre. À peine entré, je donne deux tours de clef, et je pousse les verrous ; j'ai peur... de quoi ?... Je ne redoutais rien jusqu'ici... j'ouvre mes armoires, je regarde sous mon lit ; j'écoute... j'écoute... quoi ?... Est-ce étrange qu'un simple malaise, un trouble de

---

1 Les douches froides et le bromure de potassium étaient utilisés dans le traitement des maladies nerveuses. Maupassant y a eu recours.

2 En France, le dîner est le repas du soir.

la circulation peut-être, l'irritation d'un filet nerveux, un peu de congestion, une toute petite perturbation dans le fonc-
95 tionnement si imparfait et si délicat de notre machine vivante, puisse faire un mélancolique du plus joyeux des hommes, et un poltron du plus brave ? Puis, je me couche, et j'attends le sommeil comme on attendrait le bourreau. Je l'attends avec l'épouvante de sa venue ; et mon cœur bat, et
100 mes jambes frémissent ; et tout mon corps tressaille dans la chaleur des draps, jusqu'au moment où je tombe tout à coup dans le repos, comme on tomberait pour s'y noyer, dans un gouffre d'eau stagnante. Je ne le sens pas venir, comme autre-fois, ce sommeil perfide, caché près de moi, qui me guette,
105 qui va me saisir par la tête, me fermer les yeux, m'anéantir.

　　Je dors — longtemps — deux ou trois heures — puis un rêve — non — un cauchemar m'étreint. Je sens bien que je suis couché et que je dors… je le sens et je le sais… et je sens aussi que quelqu'un s'approche de moi, me regarde, me palpe,
110 monte sur mon lit, s'agenouille sur ma poitrine, me prend le cou entre ses mains et serre… serre… de toute sa force pour m'étrangler.

　　Moi, je me débats, lié par cette impuissance atroce, qui nous paralyse dans les songes ; je veux crier, — je ne peux
115 pas ; — je veux remuer, — je ne peux pas ; — j'essaye, avec des efforts affreux, en haletant, de me tourner, de rejeter cet être qui m'écrase et qui m'étouffe, — je ne peux pas !

　　Et soudain, je m'éveille, affolé, couvert de sueur. J'allume une bougie. Je suis seul.

120 　　Après cette crise, qui se renouvelle toutes les nuits, je dors enfin, avec calme, jusqu'à l'aurore.

　　2 juin. — Mon état s'est encore aggravé. Qu'ai-je donc ? Le bromure n'y fait rien ; les douches n'y font rien. Tantôt, pour fatiguer mon corps, si las pourtant, j'allai faire un
125 tour dans la forêt de Roumare[1]. Je crus d'abord que l'air

---

1　Forêt à l'ouest de Rouen et de Croisset. Sise sur une falaise, elle longe la Seine.

Et soudain, je m'éveille, affolé, couvert de sueur.
J'allume une bougie. Je suis seul.

Lignes 118 et 119.

frais, léger et doux, plein d'odeur d'herbes et de feuilles, me versait aux veines un sang nouveau, au cœur une énergie nouvelle. Je pris une grande avenue de chasse, puis je tournai vers La Bouille[1], par une allée étroite, entre deux
130 armées d'arbres démesurément hauts qui mettaient un toit vert, épais, presque noir, entre le ciel et moi.

Un frisson me saisit soudain, non pas un frisson de froid, mais un étrange frisson d'angoisse.

Je hâtai le pas, inquiet d'être seul dans ce bois, apeuré
135 sans raison, stupidement, par la profonde solitude. Tout à coup, il me sembla que j'étais suivi, qu'on marchait sur mes talons, tout près, tout près, à me toucher.

Je me retournai brusquement. J'étais seul. Je ne vis derrière moi que la droite et large allée, vide, haute,
140 redoutablement vide ; et de l'autre côté elle s'étendait aussi à perte de vue, toute pareille, effrayante.

Je fermai les yeux. Pourquoi ? Et je me mis à tourner sur un talon, très vite, comme une toupie. Je faillis tomber ; je rouvris les yeux ; les arbres dansaient ; la terre flottait ; je dus
145 m'asseoir. Puis, ah ! je ne savais plus par où j'étais venu ! Bizarre idée ! Bizarre ! Bizarre idée ! Je ne savais plus du tout. Je partis par le côté qui se trouvait à ma droite, et je revins dans l'avenue qui m'avait amené au milieu de la forêt.

3 juin. — La nuit a été horrible. Je vais m'absenter
150 pendant quelques semaines. Un petit voyage, sans doute, me remettra.

2 juillet. — Je rentre. Je suis guéri. J'ai fait d'ailleurs une excursion charmante. J'ai visité le mont Saint-Michel[2] que je ne connaissais pas.

155 Quelle vision, quand on arrive, comme moi, à Avranches[3], vers la fin du jour ! La ville est sur une colline ; et on me

---

1 Village au sud de la forêt de Roumare sur la rive gauche de la Seine.

2 *mont Saint-Michel* : îlot rocheux situé dans une baie de la Manche. Il est surmonté d'une impressionnante abbaye bénédictine construite au Moyen Âge.

3 *Avranches* : ville d'où l'on a une vue imprenable sur le mont Saint-Michel.

Je me retournai brusquement. J'étais seul.

Ligne 138.

conduisit dans le jardin public, au bout de la cité. Je poussai un cri d'étonnement. Une baie démesurée s'étendait devant moi, à perte de vue, entre deux côtes écartées se perdant au

160 loin dans les brumes; et au milieu de cette immense baie jaune, sous un ciel d'or et de clarté, s'élevait sombre et pointu un mont étrange, au milieu des sables. Le soleil venait de disparaître, et sur l'horizon encore flambloyant se dessinait le profil de ce fantastique rocher qui porte sur son

165 sommet un fantastique monument.

Dès l'aurore, j'allai vers lui. La mer était basse, comme la veille au soir, et je regardais se dresser devant moi, à mesure que j'approchais d'elle, la surprenante abbaye. Après plusieurs heures de marche, j'atteignis l'énorme bloc de

170 pierres qui porte la petite cité dominée par la grande église. Ayant gravi la rue étroite et rapide, j'entrai dans la plus admirable demeure gothique construite pour Dieu sur la terre, vaste comme une ville, pleine de salles basses écrasées sous des voûtes et de hautes galeries que soutiennent de

175 frêles colonnes. J'entrai dans ce gigantesque bijou de granit, aussi léger qu'une dentelle, couvert de tours, de sveltes clochetons[1], où montent des escaliers tordus, et qui lancent dans le ciel bleu des jours, dans le ciel noir des nuits, leurs têtes bizarres hérissées de chimères[2], de diables, de bêtes

180 fantastiques, de fleurs monstrueuses, et reliés l'un à l'autre par de fines arches ouvragées.

Quand je fus sur le sommet, je dis au moine qui m'accompagnait : «Mon père, comme vous devez être bien ici !»

Il répondit : «Il y a beaucoup de vent, Monsieur»; et

185 nous nous mîmes à causer en regardant monter la mer, qui courait sur le sable et le couvrait d'une cuirasse d'acier.

---

1 *clochetons* : ornements en forme de petits clochers pyramidaux.

2 *chimères* : monstres fabuleux de la mythologie antique dotés de la tête et du poitrail d'un lion, d'un ventre de chèvre et d'une queue de dragon ; ils crachent des flammes.

Et le moine me conta des histoires, toutes les vieilles histoires de ce lieu, des légendes, toujours des légendes.

190 Une d'elles me frappa beaucoup. Les gens du pays, ceux du mont, prétendent qu'on entend parler la nuit dans les sables, puis qu'on entend bêler deux chèvres, l'une avec une voix forte, l'autre avec une voix faible. Les incrédules affirment que ce sont les cris des oiseaux de mer, qui ressemblent tantôt à des bêlements, et tantôt à des

195 plaintes humaines ; mais les pêcheurs attardés jurent avoir rencontré, rôdant sur les dunes, entre deux marées, autour de la petite ville jetée ainsi loin du monde, un vieux berger, dont on ne voit jamais la tête couverte de son manteau, et qui conduit, en marchant devant eux, un bouc à figure

200 d'homme et une chèvre à figure de femme, tous deux avec de longs cheveux blancs et parlant sans cesse, se querellant dans une langue inconnue, puis cessant soudain de crier pour bêler de toute leur force.

Je dis au moine : «Y croyez-vous ?»

205 Il murmura : «Je ne sais pas.»

Je repris : «S'il existait sur la terre d'autres êtres que nous, comment ne les connaîtrions-nous point depuis longtemps ; comment ne les auriez-vous pas vus, vous ; comment ne les aurais-je pas vus, moi ?»

210 Il répondit : «Est-ce que nous voyons la cent millième partie de ce qui existe ? Tenez, voici le vent, qui est la plus grande force de la nature, qui renverse les hommes, abat les édifices, déracine les arbres, soulève la mer en montagnes d'eau, détruit les falaises, et jette aux brisants[1] les grands

215 navires, le vent qui tue, qui siffle, qui gémit, qui mugit, — l'avez-vous vu, et pouvez-vous le voir ? Il existe, pourtant.»

Je me tus devant ce simple raisonnement. Cet homme était un sage ou peut-être un sot. Je ne l'aurais pu affirmer au juste ; mais je me tus. Ce qu'il disait là, je l'avais pensé souvent.

---

1 *brisants* : écueils à fleur d'eau sur lesquels la mer se brise et écume.

220 *3 juillet.* — J'ai mal dormi ; certes, il y a ici une influence
fiévreuse, car mon cocher souffre du même mal que moi. En
rentrant hier, j'avais remarqué sa pâleur singulière. Je lui
demandai :

— Qu'est-ce que vous avez, Jean ?

225 — J'ai que je ne peux plus me reposer, Monsieur, ce sont
mes nuits qui mangent mes jours. Depuis le départ de
Monsieur, cela me tient comme un sort.

Les autres domestiques vont bien cependant, mais j'ai
grand peur d'être repris, moi.

230 *4 juillet.* — Décidément, je suis repris. Mes cauchemars
anciens reviennent. Cette nuit, j'ai senti quelqu'un accroupi
sur moi, et qui, sa bouche sur la mienne, buvait ma vie entre
mes lèvres. Oui, il la puisait dans ma gorge, comme aurait
fait une sangsue. Puis il s'est levé, repu, et moi je me suis

235 réveillé, tellement meurtri, brisé, anéanti, que je ne pouvais
plus remuer. Si cela continue encore quelques jours, je
repartirai certainement.

5 juillet. — Ai-je perdu la raison ? Ce qui s'est passé, ce
que j'ai vu la nuit dernière est tellement étrange, que ma

240 tête s'égare quand j'y songe !

Comme je le fais maintenant chaque soir, j'avais fermé
ma porte à clef ; puis, ayant soif, je bus un demi-verre d'eau,
et je remarquai par hasard que ma carafe était pleine
jusqu'au bouchon de cristal.

245 Je me couchai ensuite et je tombai dans un de mes som-
meils épouvantables, dont je fus tiré au bout de deux heures
environ par une secousse plus affreuse encore.

Figurez-vous un homme qui dort, qu'on assassine, et qui
se réveille avec un couteau dans le poumon, et qui râle, couvert

250 de sang, et qui ne peut plus respirer, et qui va mourir, et qui
ne comprend pas — voilà.

Ayant enfin reconquis ma raison, j'eus soif de nouveau ;
j'allumai une bougie et j'allai vers la table où était posée ma
carafe. Je la soulevai en la penchant sur mon verre ; rien ne

255 coula. — Elle était vide ! Elle était vide complètement !
D'abord, je n'y compris rien ; puis, tout à coup, je ressentis
une émotion si terrible, que je dus m'asseoir, ou plutôt, que
je tombai sur une chaise ! puis, je me redressai d'un saut
pour regarder autour de moi ! puis je me rassis, éperdu
260 d'étonnement et de peur, devant le cristal transparent ! Je
le contemplais avec des yeux fixes, cherchant à deviner.
Mes mains tremblaient ! On avait donc bu cette eau ? Qui ?
Moi ? moi, sans doute ? Ce ne pouvait être que moi ? Alors,
j'étais somnambule, je vivais, sans le savoir, de cette double
265 vie mystérieuse qui fait douter s'il y a deux êtres en nous, ou
si un être étranger, inconnaissable et invisible, anime, par
moments, quand notre âme est engourdie, notre corps
captif qui obéit à cet autre, comme à nous-mêmes, plus qu'à
nous-mêmes.

270 Ah ! qui comprendra mon angoisse abominable ? Qui
comprendra l'émotion d'un homme, sain d'esprit, bien
éveillé, plein de raison et qui regarde épouvanté, à travers
le verre d'une carafe, un peu d'eau disparue pendant qu'il
a dormi ! Et je restai là jusqu'au jour, sans oser regagner
275 mon lit.

6 juillet. — Je deviens fou. On a encore bu toute ma
carafe cette nuit ; — ou plutôt, je l'ai bue !

Mais, est-ce moi ? Est-ce moi ? Qui serait-ce ? Qui ? Oh !
mon Dieu ! Je deviens fou ? Qui me sauvera ?

280 *10 juillet.* — Je viens de faire des épreuves surprenantes.

Décidément, je suis fou ! Et pourtant !

Le 6 juillet, avant de me coucher, j'ai placé sur ma table
du vin, du lait, de l'eau, du pain et des fraises.

On a bu — j'ai bu — toute l'eau, et un peu de lait. On n'a
285 touché ni au vin, ni au pain, ni aux fraises.

Le 7 juillet, j'ai renouvelé la même épreuve, qui a donné
le même résultat.

Le 8 juillet, j'ai supprimé l'eau et le lait. On n'a touché
à rien.

290   Le 9 juillet enfin, j'ai remis sur ma table l'eau et le lait
seulement, en ayant soin d'envelopper les carafes en des
linges de mousseline blanche et de ficeler les bouchons.
Puis, j'ai frotté mes lèvres, ma barbe, mes mains avec de la
mine de plomb, et je me suis couché.

295   L'invincible sommeil m'a saisi, suivi bientôt de l'atroce
réveil. Je n'avais point remué ; mes draps eux-mêmes ne
portaient pas de taches. Je m'élançai vers ma table. Les linges
enfermant les bouteilles étaient demeurés immaculés. Je
déliai les cordons, en palpitant de crainte. On avait bu toute
300   l'eau ! on avait bu tout le lait ! Ah ! mon Dieu !…

Je vais partir tout à l'heure pour Paris.

12 juillet. — Paris. J'avais donc perdu la tête les jours
derniers ! J'ai dû être le jouet de mon imagination énervée,
à moins que je ne sois vraiment somnambule, ou que j'aie
305   subi une de ces influences constatées, mais inexplicables
jusqu'ici, qu'on appelle suggestions. En tout cas, mon affolement touchait à la démence, et vingt-quatre heures de Paris
ont suffi pour me remettre d'aplomb.

Hier, après des courses et des visites, qui m'ont fait passer
310   dans l'âme de l'air nouveau et vivifiant, j'ai fini ma soirée au
Théâtre-Français. On y jouait une pièce d'Alexandre Dumas
fils[1] ; et cet esprit alerte et puissant a achevé de me guérir.
Certes, la solitude est dangereuse pour les intelligences qui
travaillent. Il nous faut, autour de nous, des hommes qui
315   pensent et qui parlent. Quand nous sommes seuls
longtemps, nous peuplons le vide de fantômes.

Je suis rentré à l'hôtel très gai, par les boulevards. Au
coudoiement de la foule, je songeais, non sans ironie, à mes
terreurs, à mes suppositions de l'autre semaine, car j'ai cru,
320   oui, j'ai cru qu'un être invisible habitait sous mon toit.

---

1 *Alexandre Dumas*, dit Dumas fils (1824-1895) : dramaturge français auteur de *La
Dame aux camélias*.

Elle était vide ! Elle était vide complètement !
D'abord, je n'y compris rien; […]

Lignes 255 et 256.

Comme notre tête est faible et s'effare, et s'égare vite, dès qu'un petit fait incompréhensible nous frappe !

Au lieu de conclure par ces simples mots : « Je ne comprends pas parce que la cause m'échappe », nous imaginons aussitôt
325 des mystères effrayants et des puissances surnaturelles.

14 juillet. — Fête de la République[1]. Je me suis promené par les rues. Les pétards et les drapeaux m'amusaient comme un enfant. C'est pourtant fort bête d'être joyeux, à date fixe, par décret du gouvernement. Le peuple est un
330 troupeau imbécile, tantôt stupidement patient et tantôt férocement révolté. On lui dit : « Amuse-toi. » Il s'amuse. On lui dit : « Va te battre avec le voisin. » Il va se battre. On lui dit : « Vote pour l'Empereur. » Il vote pour l'Empereur. Puis, on lui dit : « Vote pour la République. » Et il vote pour la
335 République.

Ceux qui le dirigent sont aussi sots ; mais au lieu d'obéir à des hommes, ils obéissent à des principes, lesquels ne peuvent être que niais, stériles et faux, par cela même qu'ils sont des principes, c'est-à-dire des idées réputées certaines
340 et immuables, en ce monde où l'on n'est sûr de rien, puisque la lumière est une illusion, puisque le bruit est une illusion.

16 juillet. — J'ai vu hier des choses qui m'ont beaucoup troublé.

345 Je dînais chez ma cousine, Mme Sablé, dont le mari commande le 76e chasseurs[2] à Limoges[3]. Je me trouvais chez elle avec deux jeunes femmes, dont l'une a épousé un médecin, le docteur Parent, qui s'occupe beaucoup des maladies nerveuses et des manifestations extraordinaires
350 auxquelles donnent lieu en ce moment les expériences sur l'hypnotisme et la suggestion.

---

1 Fête nationale des Français depuis 1880.

2 *76e chasseurs* : régiment de chasseurs qui est un corps d'infanterie.

3 *Limoges* : capitale du Limousin située au centre de la France.

Il nous raconta longuement les résultats prodigieux obtenus par les savants anglais et par les médecins de l'école de Nancy[1].

355 Les faits qu'il avança me parurent tellement bizarres, que je me déclarai tout à fait incrédule.

«Nous sommes, affirmait-il, sur le point de découvrir un des plus importants secrets de la nature, je veux dire, un de ses plus importants secrets sur cette terre ; car elle en a certes 360 d'autrement importants, là-bas, dans les étoiles. Depuis que l'homme pense, depuis qu'il sait dire et écrire sa pensée, il se sent frôlé par un mystère impénétrable pour ses sens grossiers et imparfaits, et il tâche de suppléer, par l'effort de son intelligence, à l'impuissance de ses organes. Quand cette 365 intelligence demeurait encore à l'état rudimentaire, cette hantise des phénomènes invisibles a pris des formes banalement effrayantes. De là sont nées les croyances populaires au surnaturel, les légendes des esprits rôdeurs, des fées, des gnomes[2], des revenants, je dirai même la légende de Dieu[3], 370 car nos conceptions de l'ouvrier-créateur, de quelque religion qu'elles nous viennent, sont bien les inventions les plus médiocres, les plus stupides, les plus inacceptables sorties du cerveau apeuré des créatures. Rien de plus vrai que cette parole de Voltaire[4] : «Dieu a fait l'homme à son 375 image, mais l'homme le lui a bien rendu.»

«Mais, depuis un peu plus d'un siècle, on semble pressentir quelque chose de nouveau. Mesmer[5] et quelques autres nous ont mis sur une voie inattendue, et nous

---

1 *école de Nancy* : elle fut fondée en 1866 ; le Dr Bernheim (1837-1919) y réalisa des travaux sur l'hypnotisme et la suggestion.

2 *gnomes* : petits génies laids et difformes supposés habiter dans la terre dont ils gardent les trésors.

3 Maupassant se disait athée.

4 *Voltaire* (1694-1778) : écrivain et philosophe français.

5 *Mesmer* (1734-1815) : médecin allemand qui connut, quelque temps, un grand succès à Paris avec sa théorie du magnétisme animal, comparable au fluide de l'aimant, avec lequel il prétendait guérir.

380 sommes arrivés vraiment, depuis quatre ou cinq ans surtout, à des résultats surprenants. »

Ma cousine, très incrédule aussi, souriait. Le docteur Parent lui dit :

— Voulez-vous que j'essaie de vous endormir, Madame ?

— Oui, je veux bien.

385 Elle s'assit dans un fauteuil et il commença à la regarder fixement en la fascinant. Moi, je me sentis soudain un peu troublé, le cœur battant, la gorge serrée. Je voyais les yeux de Mme Sablé s'alourdir, sa bouche se crisper, sa poitrine haleter.

390 Au bout de dix minutes, elle dormait.

— Mettez-vous derrière elle, dit le médecin.

Et je m'assis derrière elle. Il lui plaça entre les mains une carte de visite en lui disant : « Ceci est un miroir ; que voyez-vous dedans ? »

395 Elle répondit :

— Je vois mon cousin.

— Que fait-il ?

— Il se tord la moustache.

— Et maintenant ?

400 — Il tire de sa poche une photographie.

— Quelle est cette photographie ?

— La sienne.

C'était vrai ! Et cette photographie venait de m'être livrée, le soir même, à l'hôtel.

405 — Comment est-il sur ce portrait ?

— Il se tient debout avec son chapeau à la main.

Donc elle voyait dans cette carte, dans ce carton blanc, comme elle eût vu dans une glace.

Les jeunes femmes, épouvantées, disaient : « Assez ! Assez !

410 Assez ! »

Mais le docteur ordonna : « Vous vous lèverez demain à huit heures ; puis vous irez trouver à son hôtel votre cousin, et vous le supplierez de vous prêter cinq mille francs que

Au bout de dix minutes, elle dormait.

Ligne 390.

votre mari vous demande et qu'il vous réclamera à son
415 prochain voyage.»

Puis il la réveilla.

En rentrant à l'hôtel, je songeais à cette curieuse séance et
des doutes m'assaillirent, non point sur l'absolue, sur l'insoup-
çonnable bonne foi de ma cousine, que je connaissais
420 comme une sœur, depuis l'enfance, mais sur une supercherie
possible du docteur. Ne dissimulait-il pas dans sa main une
glace qu'il montrait à la jeune femme endormie, en même
temps que sa carte de visite ? Les prestidigitateurs de profession font des choses autrement singulières.

425 Je rentrai donc et je me couchai.

Or, ce matin, vers huit heures et demie, je fus réveillé par
mon valet de chambre qui me dit :

— C'est Mme Sablé qui demande à parler à Monsieur tout
de suite.

430 Je m'habillai à la hâte et je la reçus.

Elle s'assit fort troublée, les yeux baissés, et, sans lever son
voile, elle me dit :

— Mon cher cousin, j'ai un gros service à vous demander.

— Lequel, ma cousine ?

435 — Cela me gêne beaucoup de vous le dire, et pourtant, il
le faut. J'ai besoin, absolument besoin, de cinq mille francs.

— Allons donc, vous ?

— Oui, moi, ou plutôt mon mari, qui me charge de les
trouver.

440 J'étais tellement stupéfait, que je balbutiais mes réponses.
Je me demandais si vraiment elle ne s'était pas moquée de
moi avec le docteur Parent, si ce n'était pas là une simple
farce préparée d'avance et fort bien jouée.

Mais, en la regardant avec attention, tous mes doutes se
445 dissipèrent. Elle tremblait d'angoisse, tant cette démarche
lui était douloureuse, et je compris qu'elle avait la gorge
pleine de sanglots.

Je la savais fort riche et je repris :

— Comment ! votre mari n'a pas cinq mille francs à sa
450 disposition ! Voyons, réfléchissez. Êtes-vous sûre qu'il vous
a chargée de me les demander ?

Elle hésita quelques secondes comme si elle eût fait un
grand effort pour chercher dans son souvenir, puis elle
répondit :

455 — Oui…, oui…, j'en suis sûre.

— Il vous a écrit ?

Elle hésita encore, réfléchissant. Je devinai le travail tortu-
rant de sa pensée. Elle ne savait pas. Elle savait seulement
qu'elle devait m'emprunter cinq mille francs pour son mari.
460 Donc elle osa mentir.

— Oui, il m'a écrit.

— Quand donc ? Vous ne m'avez parlé de rien, hier.

— J'ai reçu sa lettre ce matin.

— Pouvez-vous me la montrer ?

465 — Non… non… non… elle contenait des choses
intimes… trop personnelles… je l'ai… je l'ai brûlée.

— Alors, c'est que votre mari fait des dettes.

Elle hésita encore, puis murmura :

— Je ne sais pas.

470 Je déclarai brusquement :

— C'est que je ne puis disposer de cinq mille francs en ce
moment, ma chère cousine.

Elle poussa une sorte de cri de souffrance.

— Oh ! oh ! je vous en prie, je vous en prie, trouvez-les…
475 Elle s'exaltait, joignait les mains comme si elle m'eût prié !
J'entendais sa voix changer de ton ; elle pleurait et bégayait,
harcelée, dominée par l'ordre irrésistible qu'elle avait reçu.

— Oh ! oh ! je vous en supplie… si vous saviez comme je
souffre… il me les faut aujourd'hui.

480 J'eus pitié d'elle.

— Vous les aurez tantôt, je vous le jure.

Elle s'écria :

— Oh ! merci ! merci ! Que vous êtes bon.

Je repris :

485 — Vous rappelez-vous ce qui s'est passé hier soir chez vous ?

— Oui.

— Vous rappelez-vous que le docteur Parent vous a endormie ?

490 — Oui.

— Eh ! bien, il vous a ordonné de venir m'emprunter ce matin cinq mille francs, et vous obéissez en ce moment à cette suggestion.

Elle réfléchit quelques secondes et répondit :

495 — Puisque c'est mon mari qui les demande.

Pendant une heure, j'essayai de la convaincre, mais je n'y pus parvenir.

Quand elle fut partie, je courus chez le docteur. Il allait sortir ; et il m'écouta en souriant. Puis il dit :

500 — Croyez-vous maintenant ?

— Oui, il le faut bien.

— Allons chez votre parente.

Elle sommeillait déjà sur une chaise longue, accablée de fatigue. Le médecin lui prit le pouls, la regarda quelque 505 temps, une main levée vers ses yeux qu'elle ferma peu à peu sous l'effort insoutenable de cette puissance magnétique.

Quand elle fut endormie :

— Votre mari n'a plus besoin de cinq mille francs ! Vous allez donc oublier que vous avez prié votre cousin de vous les 510 prêter, et, s'il vous parle de cela, vous ne comprendrez pas.

Puis il la réveilla. Je tirai de ma poche un portefeuille :

— Voici, ma chère cousine, ce que vous m'avez demandé ce matin.

Elle fut tellement surprise que je n'osai pas insister. J'es-515 sayai cependant de ranimer sa mémoire, mais elle nia avec force, crut que je me moquais d'elle, et faillit, à la fin, se fâcher.

. . . .

Voilà ! je viens de rentrer ; et je n'ai pu déjeuner, tant cette expérience m'a bouleversé.

19 juillet. — Beaucoup de personnes à qui j'ai raconté
520 cette aventure se sont moquées de moi. Je ne sais plus que penser. Le sage dit : Peut-être ?

21 juillet. — J'ai été dîner à Bougival[1], puis j'ai passé la soirée au bal des canotiers[2]. Décidément, tout dépend des lieux et des milieux. Croire au surnaturel dans l'île de la
525 Grenouillère[3], serait le comble de la folie… mais au sommet du mont Saint-Michel ?… mais dans les Indes ? Nous subissons effroyablement l'influence de ce qui nous entoure. Je rentrerai chez moi la semaine prochaine.

30 juillet. — Je suis revenu dans ma maison depuis hier.
530 Tout va bien.

2 août. — Rien de nouveau ; il fait un temps superbe. Je passe mes journées à regarder couler la Seine.

4 août. — Querelles parmi mes domestiques. Ils prétendent qu'on casse les verres, la nuit, dans les armoires. Le
535 valet de chambre accuse la cuisinière, qui accuse la lingère, qui accuse les deux autres. Quel est le coupable ? Bien fin qui le dirait ?

6 août. — Cette fois, je ne suis pas fou. J'ai vu… j'ai vu… j'ai vu !… Je ne puis plus douter… j'ai vu !… J'ai encore
540 froid jusque dans les ongles… j'ai encore peur jusque dans les moelles… j'ai vu !…

Je me promenais à deux heures, en plein soleil, dans mon parterre de rosiers… dans l'allée des rosiers d'automne qui commencent à fleurir.

545   Comme je m'arrêtais à regarder un *géant des batailles*[4], qui portait trois fleurs magnifiques, je vis, je vis distinctement,

---

1 *Bougival* : lieu de villégiature situé à 18 km à l'ouest de Paris sur la rive gauche de la Seine ; il a été fréquenté par Maupassant et par les peintres impressionnistes.

2 *canotiers* : ceux qui s'adonnaient au canotage, sport en vogue à l'époque.

3 *la Grenouillère* : en face de Chatou, café flottant où affluaient les canotiers. Chatou est située sur la rive droite de la Seine en face de Bougival.

4 *géant des batailles* : variété de rosiers.

tout près de moi, la tige d'une de ces roses se plier, comme si une main invisible l'eût tordue, puis se casser comme si cette main l'eût cueillie! Puis la fleur s'éleva, suivant la

550 courbe qu'aurait décrite un bras en la portant vers une bouche, et elle resta suspendue dans l'air transparent, toute seule, immobile, effrayante tache rouge à trois pas de mes yeux.

Éperdu, je me jetai sur elle pour la saisir! Je ne trouvai

555 rien; elle avait disparu. Alors je fus pris d'une colère furieuse contre moi-même; car il n'est pas permis à un homme raisonnable et sérieux d'avoir de pareilles hallucinations.

Mais était-ce bien une hallucination? Je me retournai pour chercher la tige, et je la retrouvai immédiatement sur

560 l'arbuste, fraîchement brisée, entre les deux autres roses demeurées à la branche.

Alors, je rentrai chez moi l'âme bouleversée; car je suis certain, maintenant, certain comme de l'alternance des jours et des nuits, qu'il existe près de moi un être invisible,

565 qui se nourrit de lait et d'eau, qui peut toucher aux choses, les prendre et les changer de place, doué par conséquent d'une nature matérielle, bien qu'imperceptible pour nos sens, et qui habite comme moi, sous mon toit…

7 août. — J'ai dormi tranquille. Il a bu l'eau de ma carafe,

570 mais n'a point troublé mon sommeil.

Je me demande si je suis fou. En me promenant tantôt au grand soleil, le long de la rivière, des doutes me sont venus sur ma raison, non point des doutes vagues comme j'en avais jusqu'ici, mais des doutes précis, absolus. J'ai vu des

575 fous; j'en ai connu qui restaient intelligents, lucides, clair-voyants même sur toutes les choses de la vie, sauf sur un point. Ils parlaient de tout avec clarté, avec souplesse, avec profondeur, et soudain leur pensée touchant l'écueil de leur folie, s'y déchirait en pièces, s'éparpillait et sombrait dans

580 cet océan effrayant et furieux, plein de vagues bondissantes, de brouillards, de bourrasques, qu'on nomme «la démence».

Puis la fleur s'éleva, suivant la courbe qu'aurait décrite
un bras en la portant vers une bouche, et elle resta
suspendue dans l'air transparent, toute seule, immobile,
effrayante tache rouge à trois pas de mes yeux.
Éperdu, je me jetai sur elle pour la saisir !

Lignes 549 à 554.

Certes, je me croirais fou, absolument fou, si je n'étais conscient, si je ne connaissais parfaitement mon état, si je ne le sondais en l'analysant avec une complète lucidité. Je ne
585   serais donc, en somme, qu'un halluciné raisonnant. Un trouble inconnu se serait produit dans mon cerveau, un de ces troubles qu'essayent de noter et de préciser aujourd'hui les physiologistes[1] ; et ce trouble aurait déterminé dans mon esprit, dans l'ordre et la logique de mes idées, une crevasse
590   profonde. Des phénomènes semblables ont lieu dans le rêve qui nous promène à travers les fantasmagories[2] les plus invraisemblables, sans que nous en soyons surpris, parce que l'appareil vérificateur, parce que le sens du contrôle est endormi ; tandis que la faculté imaginative veille et travaille.
595   Ne se peut-il pas qu'une des imperceptibles touches du clavier cérébral se trouve paralysée chez moi ? Des hommes, à la suite d'accidents, perdent la mémoire des noms propres ou des verbes ou des chiffres, ou seulement des dates. Les localisations de toutes les parcelles de la pensée sont aujour-
600   d'hui prouvées. Or, quoi d'étonnant à ce que ma faculté de contrôler l'irréalité de certaines hallucinations, se trouve engourdie chez moi en ce moment !

Je songeais à tout cela en suivant le bord de l'eau. Le soleil couvrait de clarté la rivière, faisait la terre délicieuse,
605   emplissait mon regard d'amour pour la vie, pour les hiron- delles, dont l'agilité est une joie de mes yeux, pour les herbes de la rive, dont le frémissement est un bonheur de mes oreilles.

Peu à peu, cependant, un malaise inexplicable me pénétrait.
610   Une force, me semblait-il , une force occulte m'engourdissait, m'arrêtait, m'empêchait d'aller plus loin, me rappelait en arrière. J'éprouvais ce besoin douloureux de rentrer qui vous

---

1   *physiologistes* : spécialistes de la physiologie, science qui étudie les fonctions des organes et qui, au XIXe siècle, attribue des causes physiologiques à des problèmes psychologiques.
2   *fantasmagories* : spectacles fantastiques.

oppresse, quand on a laissé au logis un malade aimé, et que
le pressentiment vous saisit d'une aggravation de son mal.

615   Donc, je revins malgré moi, sûr que j'allais trouver,
dans ma maison, une mauvaise nouvelle, une lettre ou
une dépêche. Il n'y avait rien ; et je demeurai plus surpris
et plus inquiet que si j'avais eu de nouveau quelque vision
fantastique.

620   *8 août.* — J'ai passé hier une affreuse soirée. Il ne se
manifeste plus, mais je le sens près de moi, m'épiant, me
regardant, me pénétrant, me dominant et plus redoutable,
en se cachant ainsi, que s'il signalait par des phénomènes
surnaturels sa présence invisible et constante.

625   J'ai dormi, pourtant.

9 août. — Rien ; mais j'ai peur.

10 août. — Rien ; qu'arrivera-t-il demain ?

11 août. — Toujours rien ; je ne puis plus rester chez
moi avec cette crainte et cette pensée entrées en mon âme ;
630   je vais partir.

12 août, 10 heures du soir. — Tout le jour j'ai voulu m'en
aller ; je n'ai pas pu. J'ai voulu accomplir cet acte de liberté
si facile, si simple, — sortir — monter dans ma voiture pour
gagner Rouen — je n'ai pas pu. Pourquoi ?

635   *13 août.* — Quand on est atteint par certaines maladies,
tous les ressorts de l'être physique semblent brisés, toutes les
énergies anéanties, tous les muscles relâchés, les os devenus
mous comme la chair et la chair liquide comme de l'eau.
J'éprouve cela dans mon être moral d'une façon étrange et
640   désolante. Je n'ai plus aucune force, aucun courage, aucune
domination sur moi, aucun pouvoir même de mettre en
mouvement ma volonté. Je ne peux plus vouloir ; mais
quelqu'un veut pour moi ; et j'obéis.

14 août. — Je suis perdu ! Quelqu'un possède mon âme et
645   la gouverne ! quelqu'un ordonne tous mes actes, tous mes
mouvements, toutes mes pensées. Je ne suis plus rien en
moi, rien qu'un spectateur esclave et terrifié de toutes les

choses que j'accomplis. Je désire sortir. Je ne peux pas. Il ne veut pas ; et je reste, éperdu, tremblant, dans le fauteuil où il
650 me tient assis. Je désire seulement me lever, me soulever, afin de me croire encore maître de moi. Je ne peux pas ! Je suis rivé à mon siège ; et mon siège adhère au sol, de telle sorte qu'aucune force ne nous soulèverait.

Puis, tout d'un coup, il faut, il faut, il faut que j'aille au
655 fond de mon jardin cueillir des fraises et les manger. Et j'y vais. Je cueille des fraises et je les mange ! Oh ! mon Dieu ! Mon Dieu ! Mon Dieu ! Est-il un Dieu ? S'il en est un, délivrez-moi, sauvez-moi ! secourez-moi ! Pardon ! Pitié ! Grâce ! Sauvez-moi ! Oh ! quelle souffrance ! quelle torture !
660 quelle horreur !

15 août. — Certes, voilà comment était possédée et domi-née ma pauvre cousine, quand elle est venue m'emprunter cinq mille francs. Elle subissait un vouloir étranger entré en elle, comme une autre âme, comme une autre âme parasite
665 et dominatrice. Est-ce que le monde va finir ?

Mais celui qui me gouverne, quel est-il, cet invisible ? cet inconnaissable, ce rôdeur d'une race surnaturelle ?

Donc les Invisibles existent ! Alors, comment depuis l'origine du monde ne se sont-ils pas encore manifestés
670 d'une façon précise comme ils le font pour moi ? Je n'ai jamais rien lu qui ressemble à ce qui s'est passé dans ma demeure. Oh ! si je pouvais la quitter, si je pouvais m'en aller, fuir et ne pas revenir. Je serais sauvé, mais je ne peux pas.

675 *16 août.* — J'ai pu m'échapper aujourd'hui pendant deux heures, comme un prisonnier qui trouve ouverte, par hasard, la porte de son cachot. J'ai senti que j'étais libre tout à coup et qu'il était loin. J'ai ordonné d'atteler bien vite et j'ai gagné Rouen. Oh ! quelle joie de pouvoir dire à un
680 homme qui obéit : « Allez à Rouen ! »

Je me suis fait arrêter devant la bibliothèque et j'ai prié qu'on me prêtât le grand traité du docteur Hermann

Herestauss[1] sur les habitants inconnus du monde antique et moderne.

685 Puis, au moment de remonter dans mon coupé[2], j'ai voulu dire : «À la gare !» et j'ai crié, — je n'ai pas dit, j'ai crié — d'une voix si forte que les passants se sont retournés : «À la maison», et je suis tombé, affolé d'angoisse, sur le coussin de ma voiture. Il m'avait retrouvé et repris.

690 *17 août.* — Ah ! Quelle nuit ! quelle nuit ! Et pourtant il me semble que je devrais me réjouir. Jusqu'à une heure du matin, j'ai lu ! Hermann Herestauss, docteur en philosophie et en théogonie[3], a écrit l'histoire et les manifestations de tous les êtres invisibles rôdant autour de l'homme ou rêvés 695 par lui. Il décrit leurs origines, leur domaine, leur puissance. Mais aucun d'eux ne ressemble à celui qui me hante. On dirait que l'homme, depuis qu'il pense, a pressenti et redouté un être nouveau, plus fort que lui, son successeur en ce monde, et que, le sentant proche et ne pouvant prévoir la nature de 700 ce maître, il a créé, dans sa terreur, tout le peuple fantastique des êtres occultes, fantômes vagues nés de la peur.

Donc, ayant lu jusqu'à une heure du matin, j'ai été m'asseoir ensuite auprès de ma fenêtre ouverte pour rafraîchir mon front et ma pensée au vent calme de l'obscurité.

705 Il faisait bon, il faisait tiède ! Comme j'aurais aimé cette nuit-là autrefois !

Pas de lune. Les étoiles avaient au fond du ciel noir des scintillements frémissants. Qui habite ces mondes ? Quelles formes, quels vivants, quels animaux, quelles plantes sont 710 là-bas ? Ceux qui pensent dans ces univers lointains, que savent-ils plus que nous ? Que peuvent-ils plus que nous ? Que voient-ils que nous ne connaissons point ? Un d'eux, un jour ou l'autre, traversant l'espace, n'apparaîtra-t-il pas sur

---

1 *Hermann Herestauss* : nom fictif inventé par Maupassant. En allemand, «herr» signifie «monsieur» et «aus», «hors de».

2 *coupé* : voiture fermée, généralement à deux places.

3 *théogonie* : système qui explique la naissance des dieux et présente leur généalogie.

notre terre pour la conquérir, comme les Normands jadis
715   traversaient la mer pour asservir des peuples plus faibles.

Nous sommes si infirmes, si désarmés, si ignorants, si
petits, nous autres, sur ce grain de boue qui tourne délayé
dans une goutte d'eau.

Je m'assoupis en rêvant ainsi au vent frais du soir.

720   Or, ayant dormi environ quarante minutes, je rouvris les
yeux sans faire un mouvement, réveillé par je ne sais quelle
émotion confuse et bizarre. Je ne vis rien d'abord, puis, tout
à coup, il me sembla qu'une page du livre resté ouvert sur
ma table venait de tourner toute seule. Aucun souffle d'air
725   n'était entré par ma fenêtre. Je fus surpris et j'attendis. Au
bout de quatre minutes environ, je vis, je vis, oui, je vis de
mes yeux une autre page se soulever et se rabattre sur la
précédente, comme si un doigt l'eût feuilletée. Mon fauteuil
était vide, semblait vide ; mais je compris qu'il était là, lui,
730   assis à ma place, et qu'il lisait. D'un bond furieux, d'un bond
de bête révoltée, qui va éventrer son dompteur, je traversai
ma chambre pour le saisir, pour l'étreindre, pour le tuer !...
Mais mon siège, avant que je l'eusse atteint, se renversa
comme si on eût fui devant moi... ma table oscilla, ma
735   lampe tomba et s'éteignit, et ma fenêtre se ferma comme si
un malfaiteur surpris se fût élancé dans la nuit, en prenant
à pleines mains les battants.

Donc, il s'était sauvé ; il avait eu peur, peur de moi, lui !

Alors,... alors... demain... ou après,... ou un jour quel-
740   conque,... je pourrai donc le tenir sous mes poings, et
l'écraser contre le sol ! Est-ce que les chiens, quelquefois, ne
mordent point et n'étranglent pas leurs maîtres ?

18 août. — J'ai songé toute la journée. Oh ! oui, je vais lui
obéir, suivre ses impulsions, accomplir toutes ses volontés,
745   me faire humble, soumis, lâche. Il est le plus fort. Mais une
heure viendra...

19 août. — Je sais... je sais... je sais tout ! Je viens de lire
ceci dans la *Revue du Monde Scientifique* : «Une nouvelle

Mais mon siège, avant que je l'eusse atteint,
se renversa comme si on eût fui devant moi…
ma table oscilla, ma lampe tomba et s'éteignit, […]

Lignes 733 à 735.

assez curieuse nous arrive de Rio de Janeiro[1]. Une folie, une
750 épidémie de folie, comparable aux démences contagieuses
qui atteignirent les peuples d'Europe au Moyen Âge, sévit en
ce moment dans la province de San-Paulo. Les habitants
éperdus quittent leurs maisons, désertent leurs villages,
abandonnent leurs cultures, se disant poursuivis, possédés,
755 gouvernés comme un bétail humain par des êtres invisibles
bien que tangibles, des sortes de vampires qui se nourrissent
de leur vie, pendant leur sommeil, et qui boivent en outre de
l'eau et du lait sans paraître toucher à aucun autre aliment.

«M. le professeur Don Pedro Henriquez, accompagné de
760 plusieurs savants médecins, est parti pour la province de
San-Paulo, afin d'étudier sur place les origines et les manifestations de cette surprenante folie, et de proposer à
l'Empereur[2] les mesures qui lui paraîtront les plus propres à
rappeler à la raison ces populations en délire.»

765 Ah ! Ah ! je me rappelle, je me rappelle le beau trois-mâts
brésilien qui passa sous mes fenêtres en remontant la Seine,
le 8 mai dernier ! Je le trouvai si joli, si blanc, si gai ! L'Être
était dessus, venant de là-bas, où sa race est née ! Et il m'a
vu ! Il a vu ma demeure blanche aussi ; et il a sauté du navire
770 sur la rive. Oh ! mon Dieu !

À présent, je sais, je devine. Le règne de l'homme est fini.

Il est venu, Celui que redoutaient les premières terreurs
des peuples naïfs, Celui qu'exorcisaient les prêtres inquiets,
que les sorciers évoquaient par les nuits sombres, sans le voir
775 apparaître encore, à qui les pressentiments des maîtres passagers du monde prêtèrent toutes les formes monstrueuses ou
gracieuses des gnomes, des esprits, des génies, des fées, des
farfadets[3]. Après les grossières conceptions de l'épouvante
primitive, des hommes plus perspicaces l'ont pressenti plus
780 clairement. Mesmer l'avait deviné, et les médecins, depuis

---

1 *Rio de Janeiro* : ville et port du Brésil, sur l'océan Atlantique.
2 *Empereur* : Pierre II, empereur constitutionnel du Brésil de 1831 à 1889.
3 *farfadets* : sortes de lutins, esprits follets, d'une grâce légère et vive.

dix ans déjà, ont découvert, d'une façon précise, la nature de
sa puissance avant qu'il l'eût exercée lui-même. Ils ont joué
avec cette arme du Seigneur nouveau, la domination d'un
mystérieux vouloir sur l'âme humaine devenue esclave. Ils
785 ont appelé cela magnétisme[1], hypnotisme, suggestion... que
sais-je ? Je les ai vus s'amuser comme des enfants imprudents
avec cette horrible puissance ! Malheur à nous ! Malheur à
l'homme ! Il est venu le... le... comment se nomme-t-il...
le... il me semble qu'il me crie son nom, et je ne l'entends
790 pas... le... oui... il le crie... J'écoute... je ne peux pas...
répète... le... Horla... J'ai entendu... le Horla... c'est lui...
le Horla... il est venu !...

Ah ! le vautour a mangé la colombe, le loup a mangé le
mouton ; le lion a dévoré le buffle aux cornes aiguës ;
795 l'homme a tué le lion avec la flèche, avec le glaive, avec la
poudre ; mais le Horla va faire de l'homme ce que nous avons
fait du cheval et du bœuf : sa chose, son serviteur et sa nourriture, par la seule puissance de sa volonté. Malheur à nous !

Pourtant, l'animal, quelquefois, se révolte et tue celui qui
800 l'a dompté... moi aussi je veux... je pourrai... mais il faut
le connaître, le toucher, le voir ! Les savants disent que l'œil
de la bête, différent du nôtre, ne distingue point comme le
nôtre... Et mon œil à moi ne peut distinguer le nouveau
venu qui m'opprime.

805 Pourquoi ? Oh ! je me rappelle à présent les paroles du
moine du mont Saint-Michel : «Est-ce que nous voyons la
cent millième partie de ce qui existe ? Tenez, voici le vent qui
est la plus grande force de la nature, qui renverse les
hommes, abat les édifices, déracine les arbres, soulève la
810 mer en montagnes d'eau, détruit les falaises et jette aux
brisants les grands navires, le vent qui tue, qui siffle, qui
gémit, qui mugit, l'avez-vous vu et pouvez-vous le voir ? Il
existe pourtant !»

---

1 *magnétisme* : théorie de Mesmer (cf. note 5, p. 91) selon laquelle certains
individus seraient dotés d'un fluide magnétique.

Et je songeais encore : mon œil est si faible, si imparfait,
qu'il ne distingue même point les corps durs, s'ils sont
transparents comme le verre !... Qu'une glace sans tain[1]
barre mon chemin, il me jette dessus comme l'oiseau entré
dans une chambre se casse la tête aux vitres. Mille choses en
outre le trompent et l'égarent. Quoi d'étonnant, alors, à ce
qu'il ne sache point apercevoir un corps nouveau que la
lumière traverse ?

Un être nouveau ! pourquoi pas ? Il devait venir assurément ! pourquoi serions-nous les derniers ? Nous ne le
distinguons point, ainsi que tous les autres créés avant nous ?
C'est que sa nature est plus parfaite, son corps plus fin
et plus fini que le nôtre, que le nôtre si faible, si mala-
droitement conçu, encombré d'organes toujours fatigués,
toujours forcés comme des ressorts trop complexes, que le
nôtre, qui vit comme une plante et comme une bête, en se
nourrissant péniblement d'air, d'herbe et de viande,
machine animale en proie aux maladies, aux déformations,
aux putréfactions, poussive[2], mal réglée, naïve et bizarre,
ingénieusement mal faite, œuvre grossière et délicate,
ébauche d'être qui pourrait devenir intelligent et superbe.

Nous sommes quelques-uns, si peu sur ce monde, depuis
l'huître jusqu'à l'homme. Pourquoi pas un de plus, une fois
accomplie la période qui sépare les apparitions successives
de toutes les espèces diverses[3] ?

Pourquoi pas un de plus ? Pourquoi pas aussi d'autres
arbres aux fleurs immenses, éclatantes et parfumant des
régions entières ? Pourquoi pas d'autres éléments que le feu,
l'air, la terre et l'eau ? — Ils sont quatre, rien que quatre, ces

---

1 *tain* : amalgame d'étain et de mercure qui, appliqué derrière un miroir,
   lui permet de réfléchir la lumière ; on ne peut pas se voir dans une glace
   (un miroir) sans tain.
2 *poussive* : qui respire difficilement.
3 Référence à Charles Darwin (1809-1882) et à ses théories sur l'évolution
   des espèces vivantes.

pères nourriciers des êtres ! Quelle pitié ! Pourquoi ne sont-
ils pas quarante, quatre cents, quatre mille ! Comme tout est
845 pauvre, mesquin, misérable ! avarement donné, sèchement
inventé, lourdement fait ! Ah ! l'éléphant, l'hippopotame,
que de grâce ! Le chameau, que d'élégance !

Mais, direz-vous, le papillon ! une fleur qui vole ! J'en
rêve un qui serait grand comme cent univers, avec des ailes
850 dont je ne puis même exprimer la forme, la beauté, la
couleur et le mouvement. Mais je le vois… il va d'étoile
en étoile, les rafraîchissant et les embaumant au souffle
harmonieux et léger de sa course !… Et les peuples de là-
haut le regardent passer, extasiés et ravis !…

. . . .

855 Qu'ai-je donc ? C'est lui, lui, le Horla, qui me hante, qui
me fait penser ces folies ! Il est en moi, il devient mon âme ;
je le tuerai !

19 août. — Je le tuerai. Je l'ai vu ! je me suis assis, hier soir,
à ma table ; et je fis semblant d'écrire avec une grande
860 attention. Je savais bien qu'il viendrait rôder autour de moi,
tout près, si près que je pourrais peut-être le toucher, le
saisir ? Et alors !… alors, j'aurais la force des désespérés ;
j'aurais mes mains, mes genoux, ma poitrine, mon front,
mes dents pour l'étrangler, l'écraser, le mordre, le déchirer.
865 Et je le guettais avec tous mes organes surexcités.

J'avais allumé mes deux lampes et les huit bougies de
ma cheminée[1], comme si j'eusse pu, dans cette clarté, le
découvrir.

En face de moi, mon lit, un vieux lit de chêne à colonnes ;
870 à droite, ma cheminée ; à gauche, ma porte fermée avec soin,
après l'avoir laissée longtemps ouverte, afin de l'attirer ;

---

1 *cheminée* : encadrement de l'âtre que l'on nomme souvent erronément «foyer».

derrière moi, une très haute armoire à glace, qui me servait
chaque jour, pour me raser, pour m'habiller, et où j'avais
coutume de me regarder, de la tête aux pieds, chaque fois
875   que je passais devant.

Donc, je faisais semblant d'écrire, pour le tromper, car il
m'épiait lui aussi; et soudain, je sentis, je fus certain qu'il
lisait par-dessus mon épaule, qu'il était là, frôlant mon
oreille.

880   Je me dressai, les mains tendues, en me tournant si vite
que je faillis tomber. Eh bien?... on y voyait comme en
plein jour, et je ne me vis pas dans ma glace!... Elle était
vide, claire, profonde, pleine de lumière! Mon image n'était
pas dedans... et j'étais en face, moi! Je voyais le grand verre
885   limpide du haut en bas. Et je regardais cela avec des yeux
affolés; et je n'osais plus avancer, je n'osais plus faire un
mouvement, sentant bien pourtant qu'il était là, mais qu'il
m'échapperait encore, lui dont le corps imperceptible avait
dévoré mon reflet.

890   Comme j'eus peur! Puis voilà que tout à coup je commençai à m'apercevoir dans une brume, au fond du miroir,
dans une brume comme à travers une nappe d'eau; et il me
semblait que cette eau glissait de gauche à droite, lentement,
rendant plus précise mon image, de seconde en seconde.
895   C'était comme la fin d'une éclipse. Ce qui me cachait ne
paraissait point posséder de contours nettement arrêtés, mais
une sorte de transparence opaque, s'éclaircissant peu à peu.

Je pus enfin me distinguer complètement, ainsi que je le
fais chaque jour en me regardant.

900   Je l'avais vu! L'épouvante m'en est restée, qui me fait
encore frissonner.

20 août. — Le tuer, comment? puisque je ne peux
l'atteindre? Le poison? mais il me verrait le mêler à l'eau;
et nos poisons, d'ailleurs, auraient-ils un effet sur son corps
905   imperceptible? Non... non... sans aucun doute... Alors?...
alors?...

Puis voilà que tout à coup je commençai à m'apercevoir dans une brume, au fond du miroir, dans une brume comme à travers une nappe d'eau ; […]

Lignes 890 à 892.

21 août. — J'ai fait venir un serrurier de Rouen, et lui ai commandé pour ma chambre des persiennes de fer, comme en ont, à Paris, certains hôtels particuliers, au rez-de-chaussée, par crainte des voleurs. Il me fera, en outre, une porte pareille. Je me suis donné pour un poltron, mais je m'en moque !…

. . . .

10 septembre. — Rouen, Hôtel Continental. C'est fait… c'est fait… mais est-il mort ? J'ai l'âme bouleversée de ce que j'ai vu.

Hier donc, le serrurier ayant posé ma persienne et ma porte de fer, j'ai laissé tout ouvert jusqu'à minuit, bien qu'il commençât à faire froid.

Tout à coup, j'ai senti qu'il était là, et une joie, une joie folle m'a saisi. Je me suis levé lentement, et j'ai marché à droite, à gauche, longtemps, pour qu'il ne devinât rien ; puis j'ai ôté mes bottines et mis mes savates avec négligence ; puis j'ai fermé ma persienne de fer, et revenant à pas tranquilles vers la porte, j'ai fermé la porte aussi à double tour. Retournant alors vers la fenêtre, je la fixai par un cadenas, dont je mis la clef dans ma poche.

Tout à coup, je compris qu'il s'agitait autour de moi, qu'il avait peur à son tour, qu'il m'ordonnait de lui ouvrir. Je faillis céder ; je ne cédai pas, mais m'adossant à la porte, je l'entrebâillai, tout juste assez pour passer, moi, à reculons ; et comme je suis très grand ma tête touchait au linteau[1]. J'étais sûr qu'il n'avait pu s'échapper et je l'enfermai, tout seul, tout seul ! Quelle joie ! Je le tenais ! Alors, je descendis, en courant ; je pris dans mon salon, sous ma chambre, mes deux lampes et je renversai toute l'huile sur le tapis, sur les

---

1 *linteau* : pièce horizontale (de bois, de pierre ou de métal) au-dessus d'une porte.

Tout à coup, je compris qu'il s'agitait autour de moi, qu'il avait peur à son tour, qu'il m'ordonnait de lui ouvrir.

Lignes 927 et 928.

meubles, partout; puis j'y mis le feu, et je me sauvai, après avoir bien refermé, à double tour, la grande porte d'entrée.

Et j'allai me cacher au fond de mon jardin, dans un massif[1] de lauriers. Comme ce fut long! comme ce fut long! Tout était noir, muet, immobile; pas un souffle d'air, pas une étoile, des montagnes de nuages qu'on ne voyait point, mais qui pesaient sur mon âme si lourds, si lourds.

Je regardais ma maison, et j'attendais. Comme ce fut long! Je croyais déjà que le feu s'était éteint tout seul, ou qu'il l'avait éteint, Lui, quand une des fenêtres d'en bas creva sous la poussée de l'incendie, et une flamme, une grande flamme rouge et jaune, longue, molle, caressante, monta le long du mur blanc et le baisa jusqu'au toit. Une lueur courut dans les arbres, dans les branches, dans les feuilles, et un frisson, un frisson de peur aussi! Les oiseaux se réveillaient; un chien se mit à hurler; il me sembla que le jour se levait! Deux autres fenêtres éclatèrent aussitôt, et je vis que tout le bas de ma demeure n'était plus qu'un effrayant brasier. Mais un cri, un cri horrible, suraigu, déchirant, un cri de femme passa dans la nuit, et deux mansardes[2] s'ouvrirent! J'avais oublié mes domestiques! Je vis leurs faces affolées, et leurs bras qui s'agitaient!...

Alors, éperdu d'horreur, je me mis à courir vers le village en hurlant: «Au secours! au secours! au feu! au feu!» Je rencontrai des gens qui s'en venaient déjà et je retournai avec eux, pour voir!

La maison, maintenant, n'était plus qu'un bûcher horrible et magnifique, un bûcher monstrueux, éclairant toute la terre, un bûcher où brûlaient des hommes, et où il brûlait aussi, Lui, Lui, mon prisonnier, l'Être nouveau, le nouveau maître, le Horla!

---

1   *massif*: bosquet.
2   *mansardes*: chambres aménagées dans des combles, donc sous le toit, où logeaient souvent les domestiques.

Soudain le toit tout entier s'engloutit entre les murs, et un volcan de flammes jaillit jusqu'au ciel. Par toutes les fenêtres ouvertes sur la fournaise, je voyais la cuve de feu, et je pensais

970 qu'il était là, dans ce four, mort…

— Mort ? Peut-être ?… Son corps ? son corps que le jour traversait n'était-il pas indestructible par les moyens qui tuent les nôtres ?

S'il n'était pas mort ?… seul peut-être le temps a prise sur

975 l'Être Invisible et Redoutable. Pourquoi ce corps transparent, ce corps inconnaissable, ce corps d'Esprit, s'il devait craindre, lui aussi, les maux, les blessures, les infirmités, la destruction prématurée ?

La destruction prématurée ? toute l'épouvante humaine

980 vient d'elle ! Après l'homme le Horla. — Après celui qui peut mourir tous les jours, à toutes les heures, à toutes les minutes, par tous les accidents, est venu celui qui ne doit mourir qu'à son jour, à son heure, à sa minute, parce qu'il a touché la limite de son existence !

985 Non… non… sans aucun doute, sans aucun doute… il n'est pas mort… Alors… alors… il va donc falloir que je me tue, moi !…

· · · · · · · · · · · · · · · · ·

1re Série. — N° 117.   Le numéro (15 pages de texte) : 15 cent.   DIMANCHE 20 Mai 1883.

LA VIE POPULAIRE

LA VIE POPULAIRE   DIRECTION :   ABONNEMENTS
paraît deux fois par semaine   10, rue d'Enghien, 10
le Jeudi et le Dimanche

Paris et Dép° : 6m... 8fr. — 12m... 15fr.
Union postale » 11fr. — 20fr.

SOMMAIRE : 1. Monographie le vendredi : Mon cousin Jacques ...
... par G. Maupass. et Un Moine, par Ludovic Halévy ...

LA MAIN

La Main

On faisait cercle autour de M. Bermutier, juge d'instruction, qui donnait son avis sur l'affaire mystérieuse de Saint-Cloud[1]. Depuis un mois, cet inexplicable crime affolait Paris. Personne n'y comprenait rien.

M. Bermutier, debout, le dos à la cheminée, parlait, assemblait les preuves, discutait les diverses opinions, mais ne concluait pas.

Plusieurs femmes s'étaient levées pour s'approcher et demeuraient debout, l'œil fixé sur la bouche rasée du magistrat d'où sortaient les paroles graves. Elles frissonnaient, vibraient, crispées par leur peur curieuse, par l'avide et insatiable besoin d'épouvante qui hante leur âme, les torture comme une faim.

Une d'elles, plus pâle que les autres, prononça pendant un silence :

« C'est affreux. Cela touche au "surnaturel". On ne saura jamais rien. »

Le magistrat se tourna vers elle :

« Oui, Madame, il est probable qu'on ne saura jamais rien. Quant au mot "surnaturel" que vous venez d'employer, il n'a rien à faire ici. Nous sommes en présence d'un crime fort habilement conçu, fort habilement exécuté, si bien enveloppé de mystère que nous ne pouvons le dégager des circonstances impénétrables qui l'entourent. Mais j'ai eu, moi, autrefois, à suivre une affaire où vraiment semblait se mêler quelque chose de fantastique. Il a fallu l'abandonner, d'ailleurs, faute de moyens de l'éclaircir. »

Plusieurs femmes prononcèrent en même temps, si vite que leurs voix n'en firent qu'une :

« Oh ! dites-nous cela. »

---

1 *Saint-Cloud* : ville dans la banlieue ouest de Paris.

M. Bermutier sourit gravement, comme doit sourire un juge d'instruction. Il reprit :

«N'allez pas croire, au moins, que j'aie pu, même un instant, supposer en cette aventure quelque chose de surhu-
35   main. Je ne crois qu'aux causes normales. Mais si, au lieu d'employer le mot "surnaturel" pour exprimer ce que nous ne comprenons pas, nous nous servions simplement du mot "inexplicable", cela vaudrait beaucoup mieux[1]. En tout cas, dans l'affaire que je vais vous dire, ce sont surtout les circons-
40   tances environnantes, les circonstances préparatoires qui m'ont ému. Enfin, voici les faits :

J'étais alors juge d'instruction à Ajaccio[2], une petite ville blanche, couchée au bord d'un admirable golfe qu'entourent partout de hautes montagnes.

45   Ce que j'avais surtout à poursuivre[3] là-bas, c'étaient les affaires de vendetta[4]. Il y en a de superbes, de dramatiques au possible, de féroces, d'héroïques. Nous retrouvons là les plus beaux sujets de vengeance qu'on puisse rêver, les haines séculaires[5], apaisées un moment, jamais éteintes, les
50   ruses abominables, les assassinats devenant des massacres et presque des actions glorieuses. Depuis deux ans, je n'entendais parler que du prix du sang[6], que de ce terrible préjugé corse qui force à venger toute injure sur la personne qui l'a faite, sur ses descendants et ses proches. J'avais vu égorger
55   des vieillards, des enfants, des cousins, j'avais la tête pleine de ces histoires.

---

1   On trouve la même idée dans «Le Horla», 12 juillet.

2   *Ajaccio* : ville sur la côte ouest de la Corse, une île de la Méditerranée qui appartient à la France.

3   *poursuivre* : employé dans le sens juridique de «engager des poursuites contre quelqu'un».

4   *vendetta* : vengeance réciproque entre deux familles ennemies, selon la tradition corse.

5   *séculaires* : qui existent depuis un ou plusieurs siècles.

6   *prix du sang* : la vendetta exige que celui qui a tué soit tué à son tour, donc paye son crime du prix de son sang.

Or, j'appris un jour qu'un Anglais venait de louer pour plusieurs années une petite villa au fond du golfe. Il avait amené avec lui un domestique français, pris à Marseille en
60 passant.

Bientôt tout le monde s'occupa de ce personnage singulier, qui vivait seul dans sa demeure, ne sortant que pour chasser et pour pêcher. Il ne parlait à personne, ne venait jamais à la ville, et, chaque matin, s'exerçait pendant une
65 heure ou deux, à tirer au pistolet et à la carabine.

Des légendes se firent autour de lui. On prétendit que c'était un haut personnage fuyant sa patrie pour des raisons politiques ; puis on affirma qu'il se cachait après avoir commis un crime épouvantable. On citait même des circons-
70 tances particulièrement horribles.

Je voulus, en ma qualité de juge d'instruction, prendre quelques renseignements sur cet homme ; mais il me fut impossible de rien apprendre. Il se faisait appeler sir John Rowell[1].

Je me contentai donc de le surveiller de près ; mais on ne
75 me signalait, en réalité, rien de suspect à son égard.

Cependant, comme les rumeurs sur son compte continuaient, grossissaient, devenaient générales, je résolus d'essayer de voir moi-même cet étranger, et je me mis à chasser régulièrement dans les environs de sa propriété.
80 J'attendis longtemps une occasion. Elle se présenta enfin sous la forme d'une perdrix que je tirai et que je tuai devant le nez de l'Anglais. Mon chien me la rapporta ; mais, prenant aussitôt le gibier, j'allai m'excuser de mon inconvenance et prier sir John Rowell d'accepter l'oiseau mort.
85 C'était un grand homme à cheveux rouges, à barbe rouge, très haut, très large, une sorte d'hercule placide et poli. Il n'avait rien de la raideur dite britannique et il me remercia vivement de ma délicatesse en un français accentué

---

1 Personnage inspiré par un Anglais, M. Powel, dont Maupassant, alors adolescent, avait fait la connaissance à Étretat (Voir la section «La Vie de Maupassant», p. 142-143).

d'outre-Manche[1]. Au bout d'un mois, nous avions causé
90   ensemble cinq ou six fois.

Un soir enfin, comme je passais devant sa porte, je
l'aperçus qui fumait sa pipe, à cheval sur une chaise, dans
son jardin. Je le saluai, et il m'invita à entrer pour boire un
verre de bière. Je ne me le fis pas répéter.

95   Il me reçut avec toute la méticuleuse courtoisie anglaise,
parla avec éloge de la France, de la Corse, déclara qu'il
aimait beaucoup "cette" pays, et "cette" rivage.

Alors, je lui posai, avec de grandes précautions et sous la
forme d'un intérêt très vif, quelques questions sur sa vie, sur
100   ses projets. Il répondit sans embarras, me raconta qu'il avait
beaucoup voyagé, en Afrique, dans les Indes, en Amérique.
Il ajouta en riant :

"J'avé eu bôcoup d'aventures, oh ! yes."

Puis je me remis à parler chasse, et il me donna des détails
105   les plus curieux sur la chasse à l'hippopotame, au tigre, à
l'éléphant et même la chasse au gorille.

Je dis :

"Tous ces animaux sont redoutables."

Il sourit :

110   "Oh ! nô, le plus mauvais, c'été l'homme."

Il se mit à rire tout à fait, d'un bon rire de gros Anglais
content :

"J'avé beaucoup chassé l'homme aussi."

Puis il parla d'armes, et il m'offrit d'entrer chez lui pour
115   me montrer des fusils de divers systèmes.

Son salon était tendu de noir[2], de soie noire brodée d'or.
De grandes fleurs jaunes couraient sur l'étoffe sombre,
brillaient comme du feu.

Il annonça :

120   "C'été une drap japonaise."

---

1 *français accentué d'outre-Manche* : français parlé avec un accent anglais.
2 *tendu de noir* : décoré de tissu noir.

Mais, au milieu du plus large panneau, une chose étrange me tira l'œil. Sur un carré de velours rouge, un objet noir se détachait. Je m'approchai : c'était une main, une main d'homme. Non pas une main de squelette, blanche et propre, mais une main noire desséchée, avec les ongles jaunes, les muscles à nu et des traces de sang ancien, de sang pareil à une crasse, sur les os coupés net, comme d'un coup de hache, vers le milieu de l'avant-bras.

Autour du poignet, une énorme chaîne de fer, rivée, soudée à ce membre malpropre, l'attachait au mur par un anneau assez fort pour tenir un éléphant en laisse.

Je demandai :

"Qu'est-ce que cela ?"

L'Anglais répondit tranquillement :

"C'été ma meilleur ennemi. Il vené d'Amérique. Il avé été fendu avec le sabre et arraché la peau avec une caillou coupante, et séché dans le soleil pendant huit jours. Aoh, très bonne pour moi, cette."

Je touchai ce débris humain qui avait dû appartenir à un colosse. Les doigts, démesurément longs, étaient attachés par des tendons énormes que retenaient des lanières de peau par places. Cette main était affreuse à voir, écorchée ainsi, elle faisait penser naturellement à quelque vengeance de sauvage.

Je dis :

"Cet homme devait être très fort."

L'Anglais prononça avec douceur :

"Aoh yes ; mais je été plus fort que lui. J'avé mis cette chaîne pour le tenir."

Je crus qu'il plaisantait. Je dis :

"Cette chaîne maintenant est bien inutile, la main ne se sauvera pas."

Sir John Rowell reprit gravement :

"Elle voulé toujours s'en aller. Cette chaîne été nécessaire."

D'un coup d'œil rapide, j'interrogeai son visage, me
155   demandant :

"Est-ce un fou, ou un mauvais plaisant[1] ?"

Mais la figure demeurait impénétrable, tranquille et
bienveillante. Je parlai d'autre chose et j'admirai les fusils.

Je remarquai cependant que trois revolvers chargés
160   étaient posés sur les meubles, comme si cet homme eût vécu
dans la crainte constante d'une attaque.

Je revins plusieurs fois chez lui. Puis je n'y allai plus. On
s'était accoutumé à sa présence ; il était devenu indifférent à
tous.

165   Une année entière s'écoula. Or, un matin, vers la fin de
novembre, mon domestique me réveilla en m'annonçant
que sir John Rowell avait été assassiné dans la nuit.

Une demi-heure plus tard, je pénétrais dans la maison de
l'Anglais avec le commissaire central[2] et le capitaine de
170   gendarmerie. Le valet, éperdu et désespéré, pleurait devant
la porte. Je soupçonnai d'abord cet homme, mais il était
innocent.

On ne put jamais trouver le coupable.

En entrant dans le salon de sir John, j'aperçus du
175   premier coup d'œil le cadavre étendu sur le dos, au milieu
de la pièce.

Le gilet était déchiré, une manche arrachée pendait, tout
annonçait qu'une lutte terrible avait eu lieu.

L'Anglais était mort étranglé ! Sa figure noire et gonflée,
180   effrayante, semblait exprimer une épouvante abominable ; il
tenait entre ses dents serrées quelque chose ; et le cou, percé
de cinq trous qu'on aurait dit faits avec des pointes de fer,
était couvert de sang.

Un médecin nous rejoignit. Il examina longtemps les traces
185   des doigts dans la chair et prononça ces étranges paroles :

"On dirait qu'il a été étranglé par un squelette."

---

1   *mauvais plaisant* : qui fait des plaisanteries de mauvais goût.
2   *commissaire central* : commissaire de police.

Un frisson me passa dans le dos, et je jetai les yeux sur le mur, à la place où j'avais vu jadis l'horrible main d'écorché. Elle n'y était plus. La chaîne, brisée, pendait.

190 Alors je me baissai vers le mort, et je trouvai dans sa bouche crispée un des doigts de cette main disparue, coupé ou plutôt scié par les dents juste à la deuxième phalange.

Puis on procéda aux constatations[1]. On ne découvrit rien. Aucune porte n'avait été forcée, aucune fenêtre, aucun 195 meuble. Les deux chiens de garde ne s'étaient pas réveillés.

Voici, en quelques mots, la déposition du domestique : depuis un mois, son maître semblait agité. Il avait reçu beaucoup de lettres, brûlées à mesure. Souvent, prenant une cravache, dans une colère qui semblait de la démence, il 200 avait frappé avec fureur cette main séchée, scellée au mur et enlevée, on ne sait comment, à l'heure même du crime. Il se couchait fort tard et s'enfermait avec soin. Il avait toujours des armes à portée du bras. Souvent, la nuit, il parlait haut, comme s'il se fût querellé avec quelqu'un.

205 Cette nuit-là, par hasard, il n'avait fait aucun bruit, et c'est seulement en venant ouvrir les fenêtres que le serviteur avait trouvé sir John assassiné. Il ne soupçonnait personne.

Je communiquai ce que je savais du mort aux magistrats et aux officiers de la force publique, et on fit dans toute l'île 210 une enquête minutieuse. On ne découvrit rien.

Or, une nuit, trois mois après le crime, j'eus un affreux cauchemar[2]. Il me sembla que je voyais la main, l'horrible main, courir comme un scorpion ou comme une araignée le long de mes rideaux et de mes murs. Trois fois, je me réveil-215 lai, trois fois je me rendormis, trois fois je revis le hideux

---

1 *on procéda aux constatations* : on chercha des indices pour comprendre ce qui s'était passé.

2 Maupassant utilise le même procédé que dans «Le Horla» (25 mai) : il se sert du cauchemar pour introduire un phénomène fantastique. Ce procédé sera utilisé dans les années 1980, sur une plus grande échelle, dans les films américains mettant en scène le personnage de Freddy Krugger.

débris galoper autour de ma chambre en remuant les doigts comme des pattes.

Le lendemain, on me l'apporta, trouvé dans le cimetière, sur la tombe de sir John Rowell, enterré là; car on n'avait pu
220 découvrir sa famille. L'index manquait.

Voilà, Mesdames, mon histoire. Je ne sais rien de plus.»

Les femmes, éperdues, étaient pâles, frissonnantes. Une d'elles s'écria :

«Mais ce n'est pas un dénouement cela, ni une expli-
225 cation ! Nous n'allons pas dormir si vous ne nous dites pas ce qui s'était passé selon vous.»

Le magistrat sourit avec sévérité :

«Oh ! moi, Mesdames, je vais gâter, certes, vos rêves terribles. Je pense tout simplement que le légitime propriétaire
230 de la main n'était pas mort, qu'il est venu la chercher avec celle qui lui restait. Mais je n'ai pu savoir comment il a fait, par exemple. C'est là une sorte de vendetta.»

Une des femmes murmura :

«Non, ça ne doit pas être ainsi.»

235 Et le juge d'instruction, souriant toujours, conclut :

«Je vous avais bien dit que mon explication ne vous irait pas.»

Le Gaulois, 23 décembre 1883.

Le cabinet de travail de Maupassant.

Caricature anonyme de Maupassant.

PRÉSENTATION
DE
L'ŒUVRE

LE SERMENT DES BRAVES.

Prussiens, tremblez devant la guerre ;
La France va vous meetre au pas ;
Si vous franchissez la frontière
Vous ne la repasserez pas !

Bismarck, puisque tu l'as voulu,
Gare à tes prussiens, il n'en restera guère,
Bismarck, puisque tu l'as voulu,
Gare à tes prussiens, il n'en restera plus !

Le peuple, sûr que la France est la plus forte,
accueille l'annonce de la guerre avec des cris de joie :
«À Berlin ! À Berlin !» ; une défaite lui semble impossible.

Maupassant et son époque

LE CONTEXTE HISTORIQUE

La succession des régimes

Plusieurs régimes politiques et chefs d'État séparent le début de la Révolution française, en 1789, de l'avènement définitif de la République.

La Ire République (1792-1804)

Jusqu'en 1789, la France est une monarchie. Le roi détient son pouvoir de Dieu lui-même et s'appuie sur une noblesse oisive, détentrice de nombreux privilèges. En 1789, une première révolution renverse la monarchie, et la Ire République est proclamée en 1792 alors que Louis XVI est déchu de ses fonctions par l'Assemblée législative. Lui et sa femme, Marie-Antoinette, seront guillotinés en 1793. La République est proclamée, mais elle sera souvent remise en question au cours du XIXe siècle.

Le Premier Empire (1804-1815)

En 1799, Napoléon Bonaparte prend le pouvoir à la suite d'un coup d'État. Il devient consul, puis se fait sacrer empereur en 1804 sous le nom de Napoléon 1er. C'est le Premier Empire. Dès 1803, il entreprend une série de guerres dont les dernières connaîtront des issues désastreuses. Exilé une première fois en 1814, il revient pour un règne de 100 jours et connaît une dernière défaite à Waterloo, en Belgique, en 1815. Il meurt en 1821, à l'île Sainte-Hélène, pendant son second exil.

La Restauration (1815-1830)

Après son abdication, la monarchie est rétablie, et deux rois se succèdent. Louis XVIII, frère de Louis XVI, et Charles X refusent tous deux d'accepter les règles du jeu parlementaire. Une opposition libérale formée principalement de la haute bourgeoisie mène alors une insurrection qui balaie une deuxième fois la monarchie en obtenant l'abdication de Charles X en 1830.

La monarchie de Juillet (1830-1848)

La monarchie de Juillet offre le trône à Louis-Philippe d'Orléans, issu de la branche cadette des Bourbons, la famille royale. En dépit de son origine, Louis-Philippe d'Orléans est un partisan révolutionnaire. C'est donc à un roi bourgeois que la bourgeoisie offre le pouvoir en même temps qu'elle lui impose une constitution. Il régnera jusqu'en 1848 alors qu'une nouvelle révolution force son abdication.

La IIe République (1848-1851)
et le Second Empire (1852-1870)

La IIe République, proclamée le 25 février 1848, ne survit pas au coup d'État du 2 décembre 1851 de Louis-Napoléon Bonaparte. Celui-ci abolit le régime parlementaire, prend le nom de Napoléon III et, le 2 décembre 1852, proclame le rétablissement de l'Empire ; c'est le Second Empire. Napoléon III instaure le despotisme et la répression. La presse est muselée, les opposants, déportés ou forcés de s'exiler, tel le poète Victor Hugo, partisan d'une démocratie libérale, qui vécut en exil de 1851 à 1870. Son règne en est un de prospérité économique et de grands développements (ferroviaire, bancaire et industriel). À l'instar de son oncle Napoléon Bonaparte, il se lance dans des guerres dont la dernière, en 1870, sera fatale à son règne.

La guerre de 1870-1871

Le 19 juillet 1870, à la suite d'un incident diplomatique au sujet du trône d'Espagne, la France déclare la guerre à la Prusse, ancien État de l'Allemagne du Nord. Le peuple, sûr que la France est la plus forte, accueille cette nouvelle avec des cris de joie : «À Berlin ! À Berlin !» ; une défaite lui semble impossible. Au cours de l'été 1870, cependant, l'armée française perd plusieurs batailles et, le 2 septembre, elle capitule à Sedan, ville du nord-est de la France. Quinze mille Français sont alors blessés ou tués et près de 100 000 sont faits prisonniers, dont l'empereur lui-même. Le régime de Louis-Napoléon Bonaparte, déjà faible à la fin des années 1860, s'écroule aussitôt la nouvelle connue. Le 4 septembre, à Paris, le peuple envahit le Palais-Bourbon et proclame la fin du Second Empire. Un gouvernement de la Défense nationale est alors institué et il dirigera le pays jusqu'au 12 février 1871. Guidé par le refus des Français de subir l'humiliation de la défaite et par leurs rêves de revanche, Louis-Napoléon Bonaparte décide de poursuivre la lutte et organise aussitôt la résistance. Les Prussiens continuent leur avance et, dès le 19 septembre, ils assiègent Paris qui se trouve isolée du reste du pays avec lequel elle ne pourra plus communiquer que par ballons ou à l'aide de pigeons voyageurs. Fin septembre, près de 700 000 hommes sont enrôlés ; ceux de moins de 25 ans le sont dans l'armée régulière et les 25 à 40 ans, dans la Garde nationale, troupe chargée de défendre les villes. Pour les équiper, on produit à la hâte et on achète à l'étranger des fusils, des uniformes, du matériel de guerre... Le gouvernement crée également un corps de francs-tireurs constitué de civils non intégrés à l'armée régulière et qui opèrent, de façon désordonnée et imprévisible, un travail de sabotage de l'armée ennemie. On demande même au peuple de se joindre à la lutte. Dans *Le Siècle* du 25 septembre, on peut lire : « Français, prenez des faulx, prenez des haches, prenez des bâtons. Venez, par masses innombrables, harceler l'armée ennemie[1] ». Malgré ce gigantesque effort, la France multiplie les défaites, et le nord de la France est peu à peu occupé par les Prussiens (environ 27 départements sur 89). Jules Mazé écrit : « Nos troupes étaient brisées de fatigue ; elles avaient froid, elles

---

1   Cité par Georges-Roux, *La Guerre de 1870*, p. 199.

avaient faim. Les paysans assistèrent au lamentable défilé de ces malheureux qui, grelottant dans des effets en lambeaux, se traînaient sur les routes verglacées [...][1]». Au bord de la famine, accablée par les bombardements, Paris capitule le 28 janvier 1871 après 132 jours de siège. Un armistice est alors signé qui sera ratifié le 10 mai 1871 par le traité de Francfort. La France cède au vainqueur l'Alsace et une partie de la Lorraine, c'est-à-dire un territoire de 15 000 km^2 et de 1 600 000 habitants. Elle doit aussi lui verser une indemnité de guerre de cinq milliards de francs. L'année qui vient de s'écouler restera, dans la mémoire des Français, l'«Année terrible» (V. Hugo). L'occupation prussienne ne cessera qu'au moment du dernier versement de l'indemnité de guerre, soit en septembre 1873.

Entre-temps, le 18 mars 1871, éclate à Paris une insurrection révolutionnaire qui aboutit à la formation de la Commune qui s'emparera de tous les pouvoirs civils et militaires. Une guerre civile s'ensuit qui se terminera, fin mai, dans un bain de sang. Aux élections du 2 juillet 1871, 99 républicains sont élus sur 114 députés. En 1875, on vote les lois constitutionnelles qui fondent définitivement la République.

LE CONTEXTE SOCIAL

La montée de la bourgeoisie

Avant la Révolution, la société française est divisée en trois ordres : le clergé, la noblesse et le tiers état, qui regroupe une grande diversité de classes sociales, entre autres les bourgeois, les artisans et les paysans. Les deux premiers ordres possèdent de nombreux privilèges au détriment du tiers état, qui constitue environ 97 % de la population.

Une partie de la bourgeoisie est fort riche et voit d'un mauvais œil les privilèges de la noblesse qui empêche son

---

1 Cité par Georges-Roux, *op. cit.*, p. 215.

Paris capitule le 28 janvier 1871 après 132 jours de siège.
Les troupes allemandes entrent dans la ville.

ascension sociale. C'est elle qui fait la Révolution. Au nom de l'égalité des droits, elle abolit les privilèges du clergé et de la noblesse ; elle les prive également de leurs ressources, la dîme et les droits féodaux. La noblesse tente de reprendre ses droits en 1815 au retour de la monarchie, mais son déclin sera fulgurant après la révolution de 1830. La bourgeoisie ne cesse d'affirmer sa suprématie tout au long du XIXe siècle. C'est d'ailleurs pourquoi on a baptisé ce siècle le Siècle bourgeois. Suprématie politique mais aussi économique. Alors que la noblesse s'intéresse peu aux affaires et qu'elle tire ses revenus de la terre et de l'immobilier, la haute bourgeoisie, celle des banquiers, des industriels et des gros commerçants, prospère grâce au commerce et aux affaires. Une bonne partie d'entre elle, à l'instar de M. Loiseau, dans *Boule de Suif*, qui a vendu des vins à l'Intendance, s'enrichit rapidement en vendant des fournitures diverses à l'armée. Les bourgeois profitent également de la révolution industrielle tributaire du progrès des sciences physiques et chimiques, du développement de nouvelles sources d'énergie (vapeur et électricité) et de l'amélioration des transports (bateaux à vapeur et chemin de fer). Le XIXe siècle assiste au développement autant d'industries anciennes comme le tissage, la métallurgie et l'imprimerie (l'invention de la presse rotative en 1867 favorise l'essor du livre et des journaux) que d'industries nouvelles (production du gaz d'éclairage, de produits pharmaceutiques, d'engrais chimiques qui transforment l'agriculture, etc.).

Le trait le plus frappant de cette grande bourgeoisie est la ténacité qu'elle met à défendre ses propres intérêts. Les bourgeois prônent des valeurs qui favorisent l'accroissement de leur richesse : la propriété, la constance dans le travail, la famille (ils craignent par-dessus tout les mésalliances), l'ordre, la sécurité et l'économie. Ils gardent leurs distances par rapport aux ouvriers avec lesquels ils ne veulent pas partager leurs nouvelles richesses et dont les valeurs ne correspondent pas aux leurs (même si, à la longue, les ouvriers adopteront les valeurs bourgeoises devenues dominantes). Ils les exploitent même, et la misère ouvrière qui en résulte mène à la syndicalisation et au socialisme.

La femme au XIXe siècle

L'inégalité entre les sexes

Il existe une grande inégalité entre les hommes et les femmes. Celles-ci sont considérées comme des mineures qui passent de l'autorité du père à celle du mari. Les femmes n'ont pas le droit de vote et n'ont accès ni à l'instruction supérieure, ni aux postes politiques, ni aux postes de direction des entreprises. Quand elles travaillent, elles sont réduites aux emplois subalternes ; en usine, elles gagnent de deux à trois fois moins que les hommes. Certaines d'entre elles s'adonnent à la prostitution, après leur journée en usine, afin d'augmenter leur misérable salaire.

La prostituée

Même si la prostituée est parfois issue des rangs de la bourgeoisie (veuve dans le besoin, mère célibataire rejetée par sa famille, etc.), et même si elle est souvent fréquentée par les bourgeois, elle représente une menace pour ces derniers, menace pour leur santé (la syphilis est une maladie vénérienne incurable au XIXe siècle qui, à l'instar du sida à la fin du XXe siècle, tue beaucoup de gens), leur fortune (certains bourgeois dépensent parfois beaucoup d'argent dans les maisons closes ou pour entretenir une fille) et surtout pour les valeurs qui assurent leur sécurité. Ainsi, l'oisiveté et le sens du plaisir des prostituées s'opposent à l'importance qu'accordent les bourgeois au travail, leur instabilité (elles déménagent souvent) à leur stabilité, leur côté dépensier à leur sens de l'épargne, leurs excès à leur sens de l'ordre, leur impulsivité et leur irascibilité à la retenue de leurs sentiments, leur gourmandise (on les représente souvent faisant de l'embonpoint) à leur sobriété, leur liberté sexuelle à l'interdit qui touche la sexualité préconjugale et extraconjugale, leur célibat à la vie de famille (le jeune homme peut refuser de se marier s'il trouve des satisfactions sexuelles auprès de prostituées, le père de famille trouble la paix de son ménage). Par-dessus tout, le bourgeois craint que la prostituée corrompe sa femme et ses filles. Aussi la tient-il à l'écart; il faut éviter la contagion morale. C'est dans ce contexte que fleurit, dans les années 1830, un discours réglementariste qui considère la prostitution comme un mal nécessaire, mais un mal dont il faut circonscrire la propagation; ce discours conduit à la création de maisons closes, ainsi nommées parce que les filles n'ont que rarement le droit d'en sortir.

On distingue différentes classes de prostituées selon le lieu où elles opèrent et la clientèle à laquelle elles s'adressent. Un monde sépare celle qui racole dans la rue de la femme galante qui choisit ses clients, souvent des aristocrates et des bourgeois, et qui les reçoit chez elle. Cette dernière, à l'instar de Boule de Suif, possède de l'argent et habite, à la ville, une maison où elle vit seule avec ses domestiques.

Les prostituées ont inspiré un grand nombre d'écrivains du XIXe siècle dont Balzac (La Torpille dans *Splendeurs et misères des courtisanes*), Hugo (Fantine dans *Les Misérables*), Flaubert (Rosanette dans *L'Éducation sentimentale*), Zola (*Nana*) et Alexandre Dumas. Certaines qualités morales reviennent dans les portraits qu'ils en tracent dont l'amour des enfants (même si elles sont obligées de se séparer des leurs), la permanence du sentiment religieux, le sens de la solidarité.

La religion et la science

Avec la Révolution, le clergé perd son prestige et son pouvoir alors que les gouvernements républicains séparent le pouvoir religieux du pouvoir politique. Le déclin de la pratique religieuse est constant et sensible tout au long du XIXe siècle et, en particulier, après la révolution de 1830. Les bourgeois ne tiennent à la religion que dans la mesure où elle leur permet de consolider leur pouvoir. Pouvoir sur la famille d'abord. Le bourgeois, souvent pas plus croyant qu'il ne faut, tient à ce que sa femme et ses filles aient une éducation religieuse qui sera garante de leur moralité et de la stabilité de son foyer. «Surtout quand sa femme est jolie, le Français, même anticlérical, est tenté de la croire mieux gardée si le curé s'en mêle[1]». Pouvoir social ensuite. La religion maintient les catholiques dans l'acceptation de l'ordre établi. Au lieu de dénoncer les injustices sociales, le clergé prêche la résignation et l'obéissance et propose un cataplasme, la charité chrétienne. Aussi la classe ouvrière associe-t-elle l'Église aux dominants. En 1856, à Paris, un million d'ouvriers et d'artisans ne pratiquent plus la religion. En 1871, les communards persécutent le clergé. Le dialogue suivant, entre un délégué de la police et un jésuite assigné devant un tribunal révolutionnaire de la Commune, en dit long sur leur haine du clergé :

— Quelle est votre profession ?

— Serviteur de Dieu.

— Où habite votre maître ?

— Partout.

— Greffier, écrivez : «se disant serviteur d'un nommé Dieu sans domicile fixe, en état de vagabondage[2]».

À la foi en Dieu et en l'Église, le XIXe siècle substitue la foi en la raison et en la science, emboîtant ainsi le pas au philosophe Auguste Comte (1798-1857), qui affirme que l'humanité est passée du stade de l'explication surnaturelle des phénomènes à un «stade positif et industriel où les hommes, renonçant à chercher les causes profondes et l'essence des choses, se contentent de découvrir les lois

---

1   A. Siegfried, cité par Georges Dupeux, *La Société française 1789-1960*, p. 185.

2   Cité par Georges-Roux, *op. cit.*, p. 325.

effectives qui régissent les faits par l'observation et le raisonnement[1]». Sa doctrine, le positivisme, inspire tout l'enseignement public du primaire à l'université.

Darwin, par ailleurs, élabore sa théorie de l'évolution et de la sélection naturelle et publie, en 1859, *L'Origine des espèces*; Pavlov et Claude Bernard développent la physiologie et ce dernier publie, en 1876, *La Science expérimentale,* théorie générale de la biologie; le docteur Charcot élabore une pathologie nerveuse.

LE CONTEXTE LITTÉRAIRE

Trois courants littéraires ont principalement marqué le XIXe siècle français : 1) le romantisme, auquel est associé le fantastique; 2) le réalisme et son prolongement, le naturalisme; et 3) le symbolisme. Les contes et nouvelles de ce recueil appartiennent au fantastique et au réalisme.

Le fantastique

De tout temps ont été racontées ou écrites des histoires qui défient la raison et font appel au surnaturel. Mais le fantastique, tel que nous le connaissons aujourd'hui, remonte au roman gothique anglais du XVIIIe siècle. Il doit sa véritable naissance aux romantiques allemands du XVIIIe siècle et, principalement, à E.T.A. Hoffmann (1776-1822) dont les contes, traduits en France à partir de 1829, ont connu une popularité telle qu'ils ont suscité de nombreuses imitations. Son premier livre, intitulé *Fantasiestücke* (*Fantaisies*), contient la substance du fantastique tel qu'on l'entend encore aujourd'hui. Les romantiques français trouvent dans les œuvres fantastiques plusieurs de leurs obsessions : rejet du rationalisme, importance accordée au rêve et au mystère, fascination pour l'étrange et l'excessif, primauté de l'individu (les contes fantastiques sont souvent écrits à la première

---

1 *Le Petit Robert des noms propres*, 6e édition, Paris, 1982, p. 436.

HISTOIRES

EXTRAORDINAIRES

PAR

EDGAR POE

TRADUCTION DE

CHARLES BAUDELAIRE

PARIS

MICHEL LÉVY FRÈRES, ÉDITEURS

RUE VIVIENNE 2 BIS, ET BOULEVARD DES ITALIENS, 15

A LA LIBRAIRIE NOUVELLE

1869

Traduction des contes de l'auteur américain
Edgar Allan Poe (1809-1849),
par Baudelaire.

personne) en proie à des émotions exacerbées (ici, l'angoisse, la peur) et ballotté dans un monde qui le dépasse. Mais plusieurs auteurs associés à d'autres courants que le romantisme ont également été séduits par le fantastique qui a continué de se développer après 1850, parallèlement au réalisme et au naturalisme. La publication, en 1856, des premières traductions des contes de l'auteur américain Edgar Allan Poe (1809-1849) par Baudelaire, *Histoires extraordinaires,* donne une nouvelle impulsion au genre. Avec Poe, le fantastique s'intériorise et mise sur l'angoisse existentielle, le goût du morbide, la folie des héros.

Qu'est-ce que le fantastique? Todorov le définit ainsi: «Le fantastique, c'est l'hésitation éprouvée par un être qui ne connaît que les lois naturelles, face à un événement en apparence surnaturel[1]». Les récits fantastiques sont habités d'êtres étranges (fantômes, vampires, monstres, automates, morts-vivants, double du héros). Le héros est parfois lui-même un être doté de pouvoirs spéciaux, mais il est le plus souvent un être ordinaire confronté soudain à un événement extraordinaire (apparition, métamorphose, résurrection, possession par le diable ou autre, animation d'objets) qui suscite chez lui — et par conséquent chez le lecteur — angoisse et terreur. Généralement, ses références spatiales et temporelles se dérèglent. Quand il ne se retrouve pas dans un lieu étrange (château abandonné, cimetière sous la Lune, souterrain obscur), c'est son univers habituel qui se transforme et devient inquiétant... surtout la nuit, plus propice que le jour à l'émergence du mystère. Il arrive que l'auteur, à la fin de son récit, sente le besoin d'expliquer la cause des phénomènes narrés mais, le plus souvent, il laisse le lecteur dans l'ambiguïté.

---

1 Tzvetan Todorov, *Introduction à la littérature fantastique,* Paris, Seuil, 1970, p. 29.

Le réalisme

Le terme «réalisme» formé à partir du mot «réel» apparaît vers 1835, et le courant réaliste se développe après 1850. Les écrivains réalistes puisent leur inspiration dans le monde qui leur est contemporain et cherchent à rendre compte de la réalité sous tous ses aspects, y compris ceux qui, jusque-là, n'étaient pas considérés comme artistiques. Ils n'hésitent pas à décrire des lieux sordides, des situations immorales, des personnages ignobles, etc. Tous les milieux sociaux sont représentés dans leurs œuvres. La bourgeoisie l'est, il est vrai, plus que les autres (elle constitue la classe dominante, comme nous l'avons vu, et plusieurs écrivains en sont issus), mais on y trouve aussi des milieux peu ou pas présents jusqu'alors dans la littérature : des ouvriers, des artistes, des prostituées et des marginaux de toutes sortes. Soucieux de rendre compte de la réalité d'une façon impartiale et précise, les écrivains réalistes renoncent à la subjectivité si chère aux romantiques, s'efforcent de bien observer le monde qui les entoure et se documentent afin de bien connaître les milieux et les situations qu'ils décrivent. Les références sociales, historiques et géographiques de leurs œuvres sont exactes, les portraits et les descriptions, minutieux et pleins de petits détails qui font «vrai». Les intrigues de leurs récits, tout à l'opposé de celles des récits fantastiques, répondent à une logique rigoureuse.

Le réalisme s'est prolongé dans le naturalisme qui, lui, avait des prétentions scientifiques. Pour Zola, chef de l'école naturaliste, le romancier est un observateur doublé d'un «expérimentateur» qui mène son roman comme une expérience de laboratoire en faisant se «mouvoir les personnages dans une histoire particulière, pour y montrer que la succession des faits y sera telle que l'exige le déterminisme des phénomènes mis à l'étude[1]».

---

1 Cité dans Hélène Sabbah, *Littérature 2ᵈᵉ*, Paris, Hatier, 1993, p. 308.

Maupassant et son œuvre

LA VIE DE MAUPASSANT

Guy de Maupassant est né le 5 août 1850 en Normandie[1], dans le pays de Caux. Sa mère, une femme intelligente, cultivée et autoritaire, souffre de troubles nerveux. Son père, un dandy insouciant, multiplie les infidélités conjugales. Ses parents ne s'entendent guère, et Guy souffre de leurs incessantes disputes[2]. Ils se séparent vers 1862, et sa mère obtient la garde des enfants (un deuxième garçon, Hervé, est né en 1856) qu'elle emmène à Étretat dans une villa achetée avant la séparation. Elle leur lit de la poésie et des pièces de Shakespeare. Guy joue avec les fils de paysans et de pêcheurs et apprend leur patois. Il court dans la campagne tel «un poulain échappé», selon l'expression de sa mère, et développe une passion pour la mer et la navigation (Étretat est située au bord de la Manche). À 13 ans, il entre au collège d'Yvetot. Il étouffe dans cet univers austère dont il s'évade en écrivant de la poésie. À force d'être obligé de prier, il développe une aversion pour la religion et les prêtres et, de plus en plus révolté, il multiplie les frasques. Renvoyé du collège en 1868, il termine ses études à Rouen et obtient son baccalauréat en 1869.

À l'été 1868, pendant ses vacances à Étretat, Maupassant sauve de la noyade le poète anglais Charles Swinburne qui l'invite chez lui, dans une maison sise à l'écart du village, où il vit avec un ami, Powel, et un singe. Leur vie intrigue les habitants d'Étretat qui considèrent les deux amis comme des originaux. Maupassant est impressionné par l'aspect morbide de leur décor intérieur et, en particulier, par une main semblable à celle qu'il décrira plus tard dans *La Main d'écorché* et dans *La Main*. Swinburne la lui offre, et

---

1 Ses biographes ne s'entendent pas sur le lieu de sa naissance : chez sa grand-mère, à Fécamp, ou dans un château loué par ses parents, à Miromesnil.

2 Ces disputes lui inspireront le conte «Garçon, un bock !» publié en 1884.

La plage à Ètretat.

Maupassant ne s'en séparera jamais. Quelques années plus tard, à Paris, il songera même à la suspendre au cordon de la sonnette de la porte d'entrée sans pourtant oser le faire. C'est son personnage de *La Main d'écorché* qui le fera, mais pour une nuit seulement.

À l'automne 1869, Maupassant commence, à Paris, des études de droit, qu'il interrompt pour devenir soldat après que la France eut déclaré la guerre à la Prusse, à l'été 1870. Il travaille d'abord à l'Intendance de Rouen, puis doit rejoindre le front. Il se retrouve aussitôt au milieu d'une armée vaincue qui reflue devant des Prussiens victorieux, une armée en déroute composée de soldats épuisés, déguenillés, affamés, ceux-là même qu'il décrira au début de *Boule de Suif*. Maupassant écrit à sa mère : «Je me suis sauvé avec notre armée en déroute.» Son père le fait entrer à l'Intendance de Paris où il reste tout le temps que dure le siège. Après la capitulation, il obtient une permission, quitte Paris et se réfugie à Rouen, puis à Étretat auprès de sa mère. Il enrage de voir les Prussiens occuper la France.

Démobilisé en novembre 1871, Maupassant devient fonctionnaire en mars 1872. Il travaille d'abord au ministère de la Marine, puis à celui de l'Instruction publique. Son travail l'ennuie, et il s'insurge contre la médiocrité ambiante et l'attitude servile de ses collègues bureaucrates. Néanmoins, il emmagasine des observations qu'il utilisera dans 33 de ses contes et nouvelles. Pour échapper à cet étouffement, Maupassant fait du canotage sur la Seine et multiplie les aventures d'un jour avec des filles; il contracte la syphilis.

Parallèlement, il fait son apprentissage d'écrivain sous l'œil vigilant de Gustave Flaubert, auteur de *Madame Bovary*, l'un des plus célèbres romans français, publié en 1857. Flaubert, un ami de sa mère, incite Maupassant au travail soutenu, lit tout ce qu'écrit son protégé, corrige et donne des conseils tel celui-ci : «Il s'agit de regarder tout ce qu'on veut exprimer assez longtemps et avec assez

Charles Swinburne.

d'attention pour en découvrir un aspect qui n'ait été vu et dit par personne.» Maupassant publie des poèmes dans des journaux ainsi que son premier conte, *La Main d'écorché*, en 1875. Il écrit aussi des pièces de théâtre dont l'une est jouée en 1879. Il fait la rencontre d'autres jeunes auteurs et celle d'Émile Zola qui, en 1877, achète une maison à Médan où il reçoit des écrivains. Un jour, Zola propose à cinq jeunes écrivains réunis chez lui de publier un recueil de six nouvelles sur le thème de la guerre. Maupassant songe alors à une aventure racontée par son oncle Charles Cordhomme (le modèle de Cornudet).Pour le personnage principal, il s'inspire d'une prostituée rouennaise, Adrienne Legay[1] . Quand, en 1880, paraissent *Les Soirées de Médan*, la nouvelle de Maupassant, *Boule de Suif*, connaît un succès immédiat. Flaubert exulte et proclame que la nouvelle est un chef-d'œuvre. «Tâche d'en faire une douzaine comme ça et tu seras un homme !», écrit-il à son protégé en avril 1880. Peu de temps après, soit le 8 mai 1880, Flaubert meurt; Maupassant en conçoit un immense chagrin.

La célébrité de Maupassant ne fera que s'accroître et se confirmer dans les 10 années suivantes. Le succès de *Boule de Suif* transforme sa vie. Maupassant laisse son emploi au ministère et devient chroniqueur pour divers journaux pour lesquels il écrit aussi des contes et des nouvelles. Il profite ainsi de l'essor considérable de la presse, en cette fin de XIXe siècle, tributaire du progrès de l'alphabétisation, de la diminution du prix des journaux et de l'invention de la presse rotative. En une dizaine d'années, Maupassant écrit quelque 250 chroniques, environ 300 contes et nouvelles, 6 romans, 3 récits de voyage, 1 recueil de vers et 3 pièces de théâtre. Ses livres se vendent bien, et il gagne beaucoup d'argent qu'il administre judicieusement. Il aide sa mère et son frère, entretient de nombreuses maîtresses, subvient aux besoins de ses trois enfants illégitimes et de leur mère, loue

---

1   Des années plus tard, Maupassant rencontrera Adrienne Legay dans un théâtre, à Rouen, et l'invitera à souper.

un appartement luxueux à Paris, fait construire une villa à Étretat, La Guillette, un diminutif de son prénom, s'achète un voilier de 14,60 m auquel il donne le nom d'un de ses romans, *Bel-Ami*, et pour lequel il engage deux marins, a des domestiques, bref, il mène un grand train de vie. Son succès et son argent lui ouvrent les portes de la haute société qu'il décrit dans cinq de ses romans. Il fait aussi des voyages : en Algérie, en Tunisie, en Italie, en Corse et en Angleterre.

De 1884 à 1886, Maupassant assiste, à la Salpêtrière[1], aux conférences données par le docteur Charcot sur les névroses et l'hystérie. Ces conférences, ainsi que les démonstrations d'hypnose du célèbre psychiatre, sont très courues. Freud lui-même, futur père de la psychanalyse, y assiste en 1886 et 1887. C'est que la folie, au centre du *Horla*, est un sujet qui passionne de nombreux contemporains de Maupassant. Mais Maupassant a aussi des raisons personnelles de s'intéresser à la folie : sa mère souffre de troubles nerveux (il a déjà demandé au docteur Charcot de l'examiner) de même que son frère Hervé, qu'il fera interner dans un asile où il mourra en 1889. Maupassant porte donc une lourde hérédité névrotique. En plus, sa syphilis lui donne de pénibles maux d'yeux et de tête. Depuis plusieurs années déjà, il est la proie d'hallucinations ; parfois, il croit même voir son double. Il se sent suivi et, comme le narrateur du *Horla*, il lui arrive de ne pas voir son reflet dans un miroir. La peur et l'angoisse l'étreignent. Pour se soulager, il a recours à l'éther et à la cocaïne, et il fait de fréquents séjours dans des stations thermales. Mais le mal progresse et, après avoir envahi tous les organes, il s'attaque au cerveau. Maupassant est devenu nerveux, irritable, imprévisible. Après une tentative de suicide ratée, il est interné, le 7 janvier 1892, dans la clinique du docteur Blanche où il est en proie à des délires. Il y meurt le 6 juillet 1893.

---

1 La Salpêtrière est un hôpital parisien affecté, en 1796, au traitement des maladies mentales.

L'ŒUVRE DE MAUPASSANT

Maupassant est un individualiste qui déteste les étiquettes et qui ne veut pas être rattaché à une école littéraire. Il a proclamé son admiration pour le romantisme, a été le disciple de Flaubert, écrivain réaliste, a fréquenté Zola, chef de l'école naturaliste, a écrit des contes fantastiques et des romans psychologiques. Où donc le situer ?

Une œuvre réaliste

Plusieurs caractéristiques de l'œuvre de Maupassant le désignent d'emblée comme un écrivain réaliste : le choix des sujets, son sens aigu de l'observation, la précision et la justesse de ses portraits et de ses descriptions.

Maupassant a puisé ses sujets autour de lui, dans la réalité quotidienne. Tout lui sert de matériaux : les histoires qu'on lui raconte (sa mère en recueille pour lui) et celles qu'il a vécues, l'actualité et les faits divers (n'oublions pas qu'il est journaliste). Même si certains passages sont parfois repris d'un conte à l'autre ou si certains récits se ressemblent, la variété des sujets abordés impressionne. S'il n'a pas d'imagination, ainsi qu'il se plaît à le dire, en revanche il est un fin observateur des lieux où il a vécu — la Normandie et Paris surtout — et des gens qu'il a côtoyés. En Normandie : les paysans et les chasseurs. À Paris : les bureaucrates au ministère, les boutiquiers de sa rue, les canotiers sur les bords de la Seine, les filles dans les auberges et les maisons closes, les mondains dans les salons. Ses portraits, comme ses descriptions, sont minutieux. En cela, il est le fidèle disciple de Flaubert, qui lui a inculqué le souci du détail pittoresque et juste et qui le forçait «à exprimer, en quelques phrases, un être ou un objet de manière à le particulariser nettement[1]».

Mais ce réalisme de Maupassant ne va pas jusqu'au naturalisme. Même si la nouvelle qui a lancé sa carrière littéraire,

---

1 Guy de Maupassant, «Préface» de *Pierre et Jean*, 1884.

Les conférences données par le docteur Charcot, ainsi que les démonstrations d'hypnose du célèbre psychiatre, sont très courues.

Boule de Suif, fait partie des *Soirées de Médan,* recueil considéré comme le manifeste du mouvement naturaliste, Maupassant a pris ses distances par rapport à ce mouvement. Dans la préface de son roman *Pierre et Jean,* il affirme que, si le romancier doit reproduire la vie «avec une scrupuleuse ressemblance» pour en arriver à «la révélation de ce qu'est véritablement l'homme contemporain», il ne doit pas chercher «à nous montrer la photographie banale de la vie», mais «à donner l'illusion complète du vrai». Il en conclut «que les Réalistes de talent devraient s'appeler plutôt des Illusionnistes[1]».

Une œuvre personnelle et pessimiste

Marie-Claire Bancquart, spécialiste de Maupassant, affirme avec justesse que le réalisme de Maupassant consiste en «une objectivité apparente dissimulant sa propre manière de voir les choses — dissimulant un gauchissement du monde dans le sens de ses obsessions[2]». Ce sont, en effet, ses passions et ses répulsions, ses obsessions et ses angoisses qui nourrissent son œuvre et qui en constituent les thèmes récurrents : horreur de la guerre, amour de la nature et, surtout, de l'eau, sensualité, dépit amoureux et dégoût du mariage, paternité et bâtardise, hallucinations, obsession du double, folie, angoisse et hantise de la mort. Il reproduit son «illusion» du monde :

> «Quel enfantillage, d'ailleurs, de croire à la réalité puisque nous portons chacun la nôtre dans notre pensée et dans nos organes. [...] Chacun de nous se fait donc simplement une illusion du monde, [...]. Et l'écrivain n'a d'autre mission que de reproduire fidèlement cette illusion [...][3]».

---

1 Guy de Maupassant, «Préface» de *Pierre et Jean,* 1884.

2 Marie-Claire Bancquart, commentaires dans le recueil *Boule de Suif,* Paris, Librairie Générale Française, 1984, rééd. «Le Livre de poche», p. 260.

3 Guy de Maupassant, «Préface» de *Pierre et Jean,* 1884.

Maupassant avec Colette Dumas d'Hauterive,
fille d'Alexandre Dumas, et Mme Bizet vers 1875-1880.

Cette illusion, ou cette vision du monde, est profondément pessimiste. Elle rejoint celle du philosophe allemand Arthur Schopenhauer (1788-1860), ce «vieux démolisseur» qu'il admirait et qui

> «a renversé les croyances, les espoirs, les poésies, les chimères, détruit les aspirations, ravagé la confiance des âmes, tué l'amour, abattu le culte idéal de la femme, crevé les illusions des cœurs, accompli la plus gigantesque besogne de sceptique qui ait jamais été faite [et qui] a tout traversé de sa moquerie, et tout vidé[1]».

Comme Schopenhauer, Maupassant jette sur le monde un regard ironique, voire cynique. Ses paysans sont bornés et cupides, ses bourgeois, bêtes et médiocres, ses bureaucrates, semblables à des robots soumis à une routine déshumanisante, ses mondains, préoccupés de leurs seuls intérêts. Quel que soit le milieu social, les relations hommes-femmes sont vouées à l'échec. Maupassant a d'ailleurs une piètre opinion des femmes, «ces êtres charmants et sans importance[2]» auxquels il ne reconnaît que «le droit de plaire[3]». Il rêve de la femme idéale, mais ne peut aimer aucune femme réelle et il considère le mariage comme une abomination. L'être humain est irrémédiablement seul, et toute espérance est bannie de cet univers grotesque que Dieu ne peut sauver puisqu'il n'existe pas.

Une œuvre fantastique

Dans ses contes fantastiques, l'angoisse rend cette solitude plus effrayante encore. «[…] j'ai peur, tout seul», dit le narrateur de *Lui?*. Le héros de ces contes, en effet, est presque toujours seul. Et il a peur.

---

1 Ainsi le présente Maupassant dans le conte «Auprès d'un mort».

2 Guy de Maupassant, «Lui?», dans *La Peur et autres contes fantastiques*, Classiques Larousse, 1994, p. 73.

3 «La Lysistrata Moderne», dans *Correspondance*, cité par Fernand Lemoine, *Guy de Maupassant*, Paris, éd. Universitaires, Coll. «Classiques du XIXe siècle», 1957, p. 38.

La peur est omniprésente et donne même son nom à deux contes. Dans le premier, paru en 1882, le narrateur la définit ainsi : «[...] quelque chose d'effroyable, une sensation atroce, comme une décomposition de l'âme, un spasme affreux de la pensée et du cœur, dont le souvenir seul donne des frissons d'angoisse[1]». Selon les contes, elle est causée par des objets ou des parties du corps (main, chevelure) qui s'animent, par le sentiment d'une présence inconnue et non identifiable, par l'apparition d'êtres étranges ou du double du héros, ou, au contraire, par la disparition de tout (*La Nuit*). Elle est même causée par la peur elle-même : «[...] j'ai peur de la peur», dit le narrateur de *Lui ?*. Il dit aussi : «[...] j'ai peur de moi[2] !». C'est que le fantastique, chez Maupassant, est le plus souvent généré de l'intérieur, ce qui peut s'expliquer de deux façons. La première explication est liée à la progression de la folie chez Maupassant qui a trouvé en lui un terrain d'observation privilégié puisqu'il a lui-même été l'objet des angoisses, des hallucinations et des délires qui terrorisent les héros de ses récits. Mais, comme dans les récits réalistes, ses observations ne nous sont pas livrées à l'état brut. Les contes fantastiques ne sont pas l'œuvre d'un fou, mais celle d'un écrivain qui a vu grandir les ravages de la folie en lui et qui a su, en toute lucidité, les exploiter au profit de son art.

La seconde explication est liée au contexte littéraire. Maupassant commence à écrire à un moment où lecteurs et écrivains sont las des histoires chères aux romantiques et qui situaient le surnaturel à l'extérieur des personnages. Dans ces histoires, le lecteur devait accepter d'emblée l'invraisemblance des situations ; revenants, sorcières et diables étaient considérés comme existant réellement dans le milieu où évoluait le héros. Chez Maupassant, on ne sait pas si le

---

1 Guy de Maupassant, «La Peur», dans *La Peur et autres contes fantastiques*, Classiques Larousse, p. 34.

2 *Ibid.*, p. 76.

héros ne les a pas plutôt imaginés. Maupassant veut inquiéter le lecteur. Il a compris que l'épouvante n'est jamais si grande que lorsque le surnaturel s'insère dans un monde d'abord présenté comme banal, familier et que la frontière entre la réalité et le surnaturel apparaît floue et indécise. Il préfère l'écrivain qui «rôd[e] autour du surnaturel plutôt que d'y pénétrer [et qui] trouv[e] des effets terribles en demeurant sur la limite du possible, en jetant les âmes dans l'hésitation». Il admire, chez Hoffmann et Poe, «cette façon particulière de coudoyer le fantastique et de troubler, avec des faits naturels où reste pourtant quelque chose d'inexpliqué et de presque impossible[1]».

Les mots «hésitation» et «inexpliqué» sont ici très importants. Ce qui rend la peur insupportable, c'est le doute, l'impuissance du héros à comprendre et donc à contrôler les phénomènes dont il est le jouet. Ses questions restent sans réponse : ce qu'il voit existe-t-il vraiment ? Rêve-t-il ? Souffre-t-il d'insomnie ? Est-il malade ou fou ? Les points d'interrogation qui suivent le titre de trois contes sont significatifs : *Lui ?*, *Un Fou ?*, *Qui sait ?*.

L'IMPORTANCE DE MAUPASSANT

Le succès que Maupassant a connu de son vivant ne s'est jamais démenti. Quelques années après sa mort, des statues lui ont été élevées, l'une, à Paris et l'autre, à Rouen. Son œuvre ne cesse d'être lue et rééditée ; elle compte aujourd'hui plus de 300 éditions dans une quinzaine de langues. Beaucoup de grands écrivains du XXe siècle le tiennent en haute estime et reconnaissent son influence sur eux. De nombreuses études sur sa vie et son œuvre ont également paru.

Alors que Maupassant a touché à tous les genres littéraires, ce sont surtout les récits brefs qui retiennent l'attention de la postérité. Maupassant avait publié ces récits dans des

---

1 Guy de Maupassant, «Le Fantastique», chronique parue dans *Le Gaulois*, 7 octobre 1883.

Illustration du conte *Qui sait ?*.

journaux, puis dans des recueils (13 entre 1881 et 1890), au fur et à mesure de leur écriture, sans souci d'unité ; c'est un récit, en général le premier, qui donnait son titre au recueil. Dans plusieurs des nombreuses éditions subséquentes, les récits sont regroupés sous un chapeau unificateur : un lieu (contes normands, contes parisiens), un thème (contes de chasse, récits de guerre), un ton (contes roses, contes noirs), ou encore un genre (contes réalistes, contes fantastiques).

Ces récits ont également été adaptés. D'après Jean-Marie Dizol, 62 contes et nouvelles de Maupassant ont fait l'objet de 111 adaptations pour la télévision ou le cinéma. Parmi eux, *Le Horla, Boule de Suif* (six fois) et *La Parure* (neuf fois)[1]. Le film le plus célèbre reste sans doute celui de Jean Renoir, *Partie de campagne,* réalisé en 1936 et distribué en 1946.

Bref, Maupassant est reconnu comme un grand maître du conte et de la nouvelle.

---

1 Jean-Marie Dizol, *Guy de Maupassant,* éd. Milan, coll. «Les essentiels», Milan, n° 78, 1997, p. 54.

L'œuvre expliquée

– *Boule de Suif* –

LA STRUCTURE

La structure de *Boule de Suif* est linéaire, c'est-à-dire que les événements sont racontés selon l'ordre chronologique. Après avoir exposé le contexte historique, celui de la guerre de 1870, Maupassant raconte l'histoire des six premiers jours du voyage de dix Rouennais qui fuient leur ville occupée par les Prussiens.

La nouvelle répond au schéma narratif[1] suivant : les personnages vivent une **situation initiale** qui est perturbée par un **élément déclencheur** qui les fait réagir et provoque des **actions** dont la **conséquence** mène à une **situation finale**.

Situation initiale	Élément déclencheur	Actions	Conséquence	Situation finale
Pendant l'occupation prussienne, 10 voyageurs, dans une diligence, sont en route pour Dieppe.	À Tôtes, un officier prussien refuse qu'ils poursuivent leur voyage tant qu'il n'aura pas couché avec Boule de Suif.	Occupations qui meublent l'attente et tentatives pour persuader Boule de Suif d'accéder à la demande de l'officier.	Boule de Suif accepte et passe une nuit avec l'officier.	Les voyageurs, heureux de leur délivrance, poursuivent leur voyage à bord de la diligence.

Deux aspects de cette structure méritent d'être soulignés. D'abord, une mise en abyme. Rappelons que ce procédé était utilisé par certains peintres flamands qui peignaient, dans leurs tableaux, un miroir qui renvoyait l'image du tableau tout entier; la scène se trouvait ainsi représentée deux fois. Ici, c'est le voyage en diligence de la première

---

1 Ce schéma correspond à celui adopté par Marie-Thérèse Bataïni et Marie-Josée Dion dans *L'Analyse littéraire*, Mont-Royal, Modulo Éditeur, 1997, p. 155 à 160.

journée qui contient en germe la nouvelle entière. Le schéma narratif de cette séquence le montre à l'évidence.

Situation initiale	Élément déclencheur	Actions	Conséquence	Situation finale
Dix voyageurs, dans une diligence, sont en route pour Dieppe.	La diligence avance très lentement, et la faim se fait sentir.	On demande à manger dans les fermes; sans succès. Boule de Suif sort son panier de provisions.	Boule de Suif leur donne à manger toutes ses provisions.	Les voyageurs, satisfaits, poursuivent leur voyage.

Dans cette séquence, comme dans la nouvelle, les voyageurs rencontrent un obstacle : l'impossibilité de manger, dans un cas, et celle de poursuivre leur route, dans l'autre. Les deux fois, c'est Boule de Suif qui les sauve. Le premier jour, on mange ses provisions; le cinquième, on la sert en pitance à l'officier prussien.

Le deuxième aspect remarquable de la structure est la répétition, le sixième jour, de la situation du premier jour : les mêmes voyageurs, dans la même diligence, au bout de quelques heures, ressentent la faim. Cette répétition fait davantage ressortir le caractère odieux des neuf personnages qui accompagnent Boule de Suif. Alors que, le premier jour, Boule de Suif leur offre le contenu entier de son panier de provisions, aucun d'eux, à la fin, ne partage son repas avec elle. Même Cornudet, qui avait pourtant crié à l'infamie la veille, mange seul ses quatre (!) œufs. Et les religieuses, loin de lui donner un morceau de leur saucisson, roulent ce qui en reste dans un papier; elles pratiquent pourtant une religion qui prêche la charité !

LE CADRE SPATIO-TEMPOREL

Le temps

Notons d'abord que la narration est ultérieure aux événements puisqu'ils sont rapportés au passé. Aucune date n'est mentionnée, mais deux informations situent le lecteur : 1) les livres d'histoire nous apprennent que les Prussiens ont envahi Rouen le 5 décembre 1870 et 2) le récit mentionne que « Au bout de quelque temps, [...] un calme nouveau s'établit » (l. 93-94) et que « La ville même reprenait peu à peu de son aspect ordinaire » (l. 112). Ces « quelque temps » et « peu à peu » situent l'action au plus tôt fin décembre 1870 mais, plus probablement, en janvier 1871.

Dans un récit, le temps de la narration (le nombre de pages consacrées à la narration d'un événement) et le temps réel des événements rapportés ne coïncident que dans les **scènes,** c'est-à-dire lorsque les personnages dialoguent. Ailleurs, l'auteur fait soit un **sommaire** (il résume les événements), soit une **ellipse** (il les ignore complètement), soit une **pause** (il interrompt le récit pour faire une description, un portrait ou une analyse des événements). La durée de la narration nous renseigne sur l'importance relative que l'auteur accorde aux événements. En ce sens, le tableau qui suit est révélateur.

Moment de la fiction	Durée de la fiction	Événements	Durée de la narration
Avant le départ	Plusieurs jours	Déroute de l'armée française. Invasion et occupation prussiennes.	5 ¹/₂ pages (p. 9 à 14)
1ᵉʳ jour (mardi)	De 4 h 30 à 10 h	Préparatifs de départ, début du voyage et portraits des voyageurs.	7 ¹/₂ pages (p. 14 à 24)
	De 10 h à 15 h	Réactions des voyageurs face à la faim.	1 ³/₄ page (p. 24 à 25)
	De 15 h à 16 h 30 environ	Repas dans la diligence.	5 pages (p. 25 à 30)
	De 16 h 30 à 17 h 30 environ	Suite du voyage.	¹/₂ page (p. 30-31)
	Quelques minutes	Descente de la diligence.	1¹/₂ page (p. 31-32)
	La soirée et la nuit	Souper. Boule de Suif éconduit Cornudet.	5 pages (p. 32 à 39)
2ᵉ jour (mercredi)	De 8 h jusqu'au coucher	Rencontre de l'officier prussien et colère des voyageurs.	6 pages (p. 40 à 47)
3ᵉ jour (jeudi)	Du lever jusqu'au coucher	Promenade aux alentours.	2 pages (p. 47 à 49)
4ᵉ jour (vendredi)	Du lever jusqu'au coucher	Conspiration et attaque de Boule de Suif au déjeuner et au dîner.	6 pages (p. 49 à 54)
5ᵉ jour (samedi)	Tard dans la matinée jusque tard dans la nuit	Lors d'une promenade, le comte convainc Boule de Suif. Dîner pendant que Boule de Suif est avec l'officier.	4 pages (p. 55 à 58)
6ᵉ jour (dimanche)	Quelques heures (ils mangent «au bout de trois heures de route»)	Préparatifs du départ et deuxième repas dans la diligence.	4 pages (p. 58 à 62)

Une première constatation s'impose : la narration de la première journée occupe à elle seule près de la moitié de la nouvelle (22 pages sur 49) et, dans cette journée, l'accent est mis sur le repas dont la narration s'étend sur cinq pages, soit environ la même longueur que la narration des jours qui ont précédé le départ et celle de chacun des jours subséquents, à l'exception du troisième qui n'occupe que deux pages. La brièveté de la narration du troisième jour s'explique par le fait que les voyageurs ne font qu'attendre et qu'ils n'ont pas encore commencé à conspirer contre Boule de Suif ; ils s'ennuient. La narration de la première journée permet principalement à Maupassant de présenter les personnages au lecteur ; il en fait d'abord le portrait (p. 18 à 22 : quatre pages) et les montre ensuite en action lorsqu'ils mangent le repas de Boule de Suif. Ainsi renseigné, le lecteur n'est pas surpris de leurs attitudes subséquentes. La sortie de la diligence est aussi très éloquente par rapport au patriotisme des voyageurs et à leur attitude face au vainqueur. C'est ce qui explique que Maupassant y consacre une page et demie alors que l'événement ne dure que quelques minutes.

L'espace

Le récit se déroule en Haute-Normandie, région que Maupassant connaît bien puisqu'il y a grandi. Les voyageurs quittent Rouen en direction de Dieppe d'où ils comptent gagner Le Havre, un port sur La Manche. Le soir du premier jour, ils arrêtent à Tôtes, à l'hôtel du Commerce. Le choix de ce nom est judicieux puisque, dans cet hôtel, on fera le commerce de Boule de Suif qui deviendra une monnaie d'échange entre l'officier et les autres voyageurs dont six sont riches et accordent beaucoup d'importance à l'argent.

Un espace fermé

Ce qui frappe, dans cette nouvelle, c'est l'enfermement dans des espaces qui sont autant de prisons. Rouen même, sur laquelle s'ouvre la nouvelle, est un lieu d'où l'on ne sort pas facilement puisqu'il est envahi par les Prussiens auxquels il faut demander une «autorisation de départ» (l. 153). Tout au long de la nouvelle, les voyageurs sont enfermés. Même la cour intérieure de l'hôtel où ils attendent que la diligence soit prête crée cette impression d'enfermement quand une «porte subitement se ferm[e]» (l. 187). Mais leurs prisons principales, ce sont la diligence où ils sont confinés pendant 13 heures, puis l'hôtel du Commerce où l'officier les tient prisonniers. Même les lieux extérieurs sont des lieux clos, fermés par la neige qui agit comme un geôlier. Le premier matin, «Un rideau de flocons blancs […] empli[t] l'espace» (l. 190-196); le troisième jour, «la neige […] ferm[e] l'horizon» (l. 1059-1060). À Loiseau qui évoque l'idée de se sauver à pied, le comte répond : «Y songez-vous, dans cette neige ?» (l. 1053-1054). La neige empêche toute retraite, tout comme l'officier qui se profile sur cette neige faisant ainsi corps avec elle quand il apparaît «au bout de la rue», et bloque la voie, la sortie. À l'inverse, quand les voyageurs peuvent enfin quitter Tôtes, la neige ne semble plus menaçante; «un clair soleil d'hiver [la rend] éblouissante» (l. 1391-1392). Sa dureté favorise même la progression de la diligence : «On fuyait plus vite, la neige étant plus dure; […]» (l. 1514). La porte de la prison est enfin ouverte.

Un espace public

Les deux lieux principaux de la nouvelle, la diligence et l'hôtel, ne sont pas des lieux privés, mais des lieux publics. Les personnages sont obligés de les partager avec des gens que, normalement, ils éviteraient. Ainsi, la comtesse, qui rend difficile l'accès de son salon, même à des gens de son propre niveau social, ne fréquenterait jamais Cornudet et Boule de Suif dans sa vie de tous les jours.

État actuel de l'Auberge du Cygne.
Dans *Boule de Suif*, il s'agit de l'hôtel du Commerce,
où s'arrêta la diligence.

Un espace symbolique

L'espace que chacun occupe est significatif. Ainsi, dans la diligence, la société rentée occupe le fond de la diligence, c'est-à-dire les meilleures places, comme dans la société. Cornudet et Boule de Suif sont à l'écart, près de la porte. À l'hôtel, Cornudet, le révolutionnaire, continuera d'ailleurs le plus souvent de se tenir à l'écart près de la cheminée. Par ailleurs, l'officier loge dans «la plus belle chambre de l'auberge» (l. 924), en haut, alors que les voyageurs se trouvent le plus souvent à la cuisine, en bas. Le vainqueur domine ainsi symboliquement les vaincus.

LES PERSONNAGES

Boule de Suif présente un bel échantillon de la société française du Second Empire. Différents milieux sociaux et différentes allégeances politiques sont en présence.

Le comte et la comtesse de Bréville

Le comte et la comtesse de Bréville sont des nobles. À l'instar de la noblesse d'alors, ils sont orléanistes, et leur fortune est constituée de terres et de biens immobiliers. Ce sont des gens distingués qui savent tenir leur rang. Le comte, «toujours courtois» (l. 1046) et «issu de trois générations d'ambassadeurs» (l. 1120-1121), sait rester calme en toutes circonstances. À trois reprises, il intervient auprès de Boule de Suif : dans la diligence, il la calme quand Cornudet insulte Bonaparte ; le premier soir, il l'incite à aller voir l'officier qui l'a fait demander et, enfin, le cinquième jour, il la prend à part et la convainc, tout en restant «galant» et «aimable» (l. 1283), de céder aux avances de l'officier. Quand l'aubergiste lui apprend que Boule de Suif s'est sacrifiée, «Par convenance, il ne dit rien» (l. 1296-1297).

État actuel de la salle à manger de l'Auberge du Cygne.
(Voir la gravure de la page 35.)

M. et Mme Carré-Lamadon

La grande bourgeoisie est représentée par les Carré-Lamadon. Propriétaire de trois filatures de coton, M. Carré-Lamadon fait partie de ces bourgeois qui ont profité de la Révolution en accaparant la richesse et le pouvoir jusque-là réservés à la noblesse. S'il est républicain, ce n'est pas tant par conviction politique que parce que cela sert ses intérêts et, s'il s'est opposé à l'empereur, c'est «pour se faire payer plus cher son ralliement» (l. 268-269). Comme les Bréville, les Carré-Lamadon font preuve d'un grand savoir-vivre.

M. et Mme Loiseau

Ce n'est pas le cas des Loiseau qui représentent la petite bourgeoisie. Ils n'ont aucun savoir-vivre. M. Loiseau est un parvenu, c'est-à-dire quelqu'un d'origine modeste (il est un ancien commis devenu marchand de vins en gros) qui a acquis l'argent, mais non l'éducation et les manières des gens de classe supérieure. Quand sa femme laisse éclater son «tempérament populacier» (l. 1100) et que lui-même se fâche, c'est le comte qui les calme. Il est le premier à accepter le repas de Boule de Suif dans la diligence (alors que les précédents sont les derniers) et c'est toujours lui qui fait les blagues — souvent grivoises — au cours du récit. Il a une réputation de farceur, mais aussi de filou. Il vend du vin de mauvaise qualité, il triche aux cartes avec sa femme et il vole même un vieux jeu de cartes en quittant l'auberge. L'argent est très important pour les Loiseau. Malgré la situation angoissante, M. Loiseau pense à vendre du vin à M. Follenvie (l. 771-775) et aux débitants de la région (l. 892-893). Sa femme, très économe, ne comprend même pas qu'on puisse plaisanter au sujet d'«argent gaspillé» (l. 408-409). Elle a «une angoisse» (l. 1301-1302) quand son mari commande du champagne pour fêter la reddition de Boule de Suif. C'est une femme à la «dure carcasse» (l. 809) et à l'«âme de gendarme» (l. 528).

Les religieuses

Le milieu religieux est représenté, non par quelque haut prélat, mais par «deux bonnes sœurs» (l. 300) qui, à l'image du pouvoir religieux de cette fin du XIXe siècle, sont très effacées. L'une est vieille et l'autre, «très chétive» et «maladive» (l. 304). Elles descendent les premières de la diligence, «habituées à toutes les soumissions» (l. 630). Mais cette soumission, dans les circonstances, apparaît plutôt comme un manque de patriotisme. Les religieuses sont souvent absentes, car elles passent «leurs journées dans l'église ou chez le curé» (l. 1034-1035) et, quand elles sont là, elles se tiennent souvent «immobiles» (l. 423), la tête baissée et se taisent, «ne sembl[ant] point entendre, perdues en des pensées profondes» (l. 1192-1193). Quand elles parlent, elles «balbuti[ent]» (l. 466) des remerciements ou elles «marmott[ent]» des prières (l. 301 et 1448). Étonnamment, quand la plus âgée prend la parole — une seule fois — elle devient verbeuse; son discours, qui vise à faire céder Boule de Suif, n'en est que plus percutant. À l'instar du clergé de la fin du XIXe siècle, elles n'ont pas de pouvoir, mais acceptent de seconder, au besoin et sur demande (c'est la comtesse qui l'invite à parler) le pouvoir en place.

Cornudet

Cornudet «le démoc» (pour démocrate) représente tous les révolutionnaires qui, depuis 1789, ont travaillé à l'instauration de la République. Même s'il est «inoffensif et serviable» (l. 320), il est la «terreur des gens respectables» (l. 309-310), car il est un républicain de gauche (contrairement à M. Carré-Lamadon, qui est de droite) qui s'oppose au pouvoir établi représenté par les trois couples. Aussi se tient-il généralement à l'écart. Il refuse d'accompagner les trois autres hommes quand ils montent voir l'officier, le lendemain de leur arrivée, ne va pas se promener avec les autres le surlendemain et, «complètement étranger à cette affaire» (l. 1152-1153), ne participe pas à la conspiration le jour suivant. S'il accepte, une fois, de jouer au trente et un, la plupart du temps, il reste seul à boire de la bière et à fumer la pipe près de la cheminée. Quand les autres fêtent leur victoire, il reste silencieux et se dissocie de leur geste : «Je vous dis à tous que vous venez de faire une infamie !» (l. 1355-1356). Pourtant, malgré cette réprobation, Cornudet n'aide pas Boule de Suif. Ce faisant, son attitude ressemble à celle de nombreux révolutionnaires qui, tout en se disant du côté du peuple, lui en voulaient de ne pas suivre leur mouvement de gauche. Mais, ainsi que le suggère Loiseau, il agit peut-être simplement par représailles contre Boule de Suif qui a repoussé ses avances. À la fin, Cornudet siffle *La Marseillaise*. Ce chant, en 1870, n'est pas encore l'hymne national qu'il deviendra en 1879 ; c'est un chant révolutionnaire qui ne peut qu'offusquer les notables. Dès lors, il prend une valeur de protestation et même de condamnation.

Boule de Suif

Boule de Suif, surnom de Élisabeth Rousset, est une femme galante, c'est-à-dire une prostituée qui choisit ses clients chez les gens «bien» (même si Mme Loiseau mentionne qu'elle a couché avec un cocher) et qui vit dans une certaine aisance matérielle ; elle possède une maison «pleine de provisions» (l. 538) et elle a une bonne. Comme toute prostituée, Boule de Suif vit en marge des gens qui ont «de la religion et des principes» (l. 297) et qui cherchent à se protéger de son immoralité. Elle possède les caractéristiques généralement attribuées aux prostituées du XIXe siècle.

Boule de Suif représente le peuple, sacrifié pendant la guerre de 1870-1871. Comme lui, elle est envoyée au front et subit le «corps à corps» avec le Prussien.

Des personnages contrastés

Boule de Suif est seule en face des neuf autres voyageurs qui ont en commun un certain nombre de caractéristiques qui lui sont opposées. Alors qu'ils sont vaniteux, lâches, hypocrites et égoïstes, Boule de Suif, au contraire, est humble, courageuse, sincère et généreuse.

Vaniteux/humble

Boule de Suif est consciente de son infériorité sociale et fait preuve d'une grande humilité. Ainsi, c'est d'«une voix humble et douce» (l. 463) qu'elle offre son repas aux religieuses et c'est en «balbuti[ant]», «rougissante et embarrassée» (l. 501), qu'elle «os[e] offrir» la même chose aux deux couples au faîte de l'échelle sociale, les Bréville et les Carré-Lamadon. Pourtant, elle ne demande pas; elle offre! Plus tard, quand les autres l'incitent à répondre favorablement à la demande de l'officier, c'est sans doute par naïveté mais aussi par respect pour leur supériorité sociale qu'elle ne dit rien. Le lendemain de sa nuit avec l'officier, c'est «timidement» et «humblement» qu'elle s'avance vers eux et qu'elle salue Mme Carré-Lamadon (l. 1404 et 1410).

La plupart des autres voyageurs sont très imbus d'eux-mêmes. Tout chez les Bréville et les Carré-Lamadon est grand. M. de Bréville, de «grande tournure» (l. 278-279), traite Boule de Suif «du haut de sa position sociale» (l. 1273) et sa femme au «grand savoir-vivre» lui montre de la «condescendance aimable» (l. 524-526). Le comte, soucieux de paraître plus grand encore, cherche à «accentuer, par les artifices de sa toilette, sa ressemblance naturelle avec le roi Henri IV» (l. 279-280). Quant à M. Carré-Lamadon, «homme considérable» (l. 264), sa fatuité apparaît lorsque, après avoir écrit son nom sur la carte de visite que le comte envoie à l'officier, il ajoute «tous ses titres» (l. 909-910), en homme habitué à ce que ceux-ci lui ouvrent toutes les portes. Quant à Cornudet, il a la vanité de ceux qui croient posséder la Vérité. Maupassant le compare à un prêtre; sa religion est la Révolution. Quand MM. Bréville et Carré-Lamadon discutent politique, il les écoute sans même se donner la peine d'émettre une opinion, car il «sait le mot des destinées». Il se contente de boire sa bière «d'un air satisfait» (l. 889).

Lâches/courageuse

À l'instar d'Adrienne Legay (voir page 146), qui avait planté un drapeau noir devant sa porte quand les Prussiens étaient entrés dans Rouen, Boule de Suif est patriotique et courageuse; elle a sauté à la gorge d'un Prussien venu habiter chez elle. Les gens riches, quant à eux, se sont servis de l'influence des officiers allemands pour obtenir l'autorisation de quitter Rouen; leurs intérêts passent avant ceux de la patrie. En quittant Rouen, Boule de Suif perd sa maison; eux fuient pour sauver leur argent. Arrivée à Tôtes, elle descend la dernière de la diligence et, alors que M. Loiseau salue l'officier allemand, elle se montre hautaine. Plus tard, elle refuse de parler à l'officier qui l'a fait demander; c'est le comte qui l'incite à y aller par peur de «difficultés considérables». En déclarant qu'«Il ne faut jamais résister aux gens qui sont les plus forts» (l. 680-681), il montre toute sa couardise. Même si Cornudet approuve son patriotisme et s'il conserve la même dignité qu'elle en descendant de la diligence, il est aussi lâche que les autres. Avant l'invasion prussienne, il s'était occupé d'organiser la défense de Rouen mais, «à l'approche de l'ennemi […], il s'était vivement replié vers la ville» (l. 324-326). Comme les autres, Cornudet fuit les Prussiens. Sa bravoure s'exprime en paroles, pas en actes. Au récit de Boule de Suif qui a attaqué un Prussien, il ne peut opposer qu'un discours creux prononcé «d'un ton doctrinaire» (l. 557-558).

Hypocrites/sincère

Au début de la nouvelle, il est dit que les six voyageurs bien nantis sont «des honnêtes gens autorisés qui ont de la religion et des principes» (l. 296-297). La suite nous apprend que leur moralité et leur respectabilité ne constituent qu'une façade hypocrite. Alors que Boule de Suif sait faire montre d'«émotion vraie» (l. 534-535), tous les comportements des six voyageurs sonnent faux. Et sa piété sincère, quand elle assiste au baptême, contraste étrangement avec celle, toute mécanique, des religieuses.

L'attitude des voyageurs à l'égard de Boule de Suif varie selon qu'ils ont — ou non — besoin d'elle. Dans la diligence, ils ne commencent à lui parler que lorsqu'elle sort son panier de provisions; la conversation se refroidit à la fin du repas. Le premier soir, quand elle accepte d'aller parler à l'officier, la comtesse lui prend la main; c'est pourtant cette même comtesse que, le matin du départ de Tôtes, son mari le comte éloignera du «contact impur» (l. 1407) de Boule de Suif. Si les voyageurs sont aimables avec elle, durant leur conspiration, c'est pour augmenter «sa confiance et sa docilité à leurs conseils» (l. 1165-1166). Après son sacrifice, loin de la remercier (alors que, la veille, le comte l'avait pourtant assurée de toute leur reconnaissance), ils l'ignorent et la rejettent. Même ses pleurs ne les atteignent pas. Insensible à sa peine, Mme Loiseau affirme que Boule de Suif «pleure sa honte» (l. 1498) alors que ce sont eux qui devraient se sentir honteux de leur cruauté.

L'arme suprême de ces êtres hypocrites, c'est le langage. Les noms dont on désigne Boule de Suif en témoignent. La «charmante compagne» (l. 475-476) qui les nourrit dans la diligence devient une «gueuse» (l. 1102) quand elle refuse de se donner à l'officier et redevient «ma chère enfant» (l. 1273) dans la bouche du comte qui fait une dernière tentative pour l'amadouer et la faire changer d'avis. Au déjeuner et au dîner du quatrième jour, on oriente habilement la conversation de façon à infléchir la décision de Boule de Suif. On utilise des «termes voilés» (l. 1181), une «paraphrase édifiante» (l. 1229), on cite des exemples propres à faire changer Boule de Suif d'avis, mais sans jamais lui demander ouvertement de le faire. Au dîner, comble de l'hypocrisie, c'est la plus âgée des religieuses qui mène l'offensive et qui incite Boule de Suif à commettre ce qui est pourtant considéré comme un péché aux yeux de sa religion (p. 53-54).

L'ironie du sort, c'est que les femmes qui s'écartent d'elle le lendemain de sa nuit avec l'officier (alors qu'elles l'ont elles-mêmes poussée dans son lit) ne sont pas si honnêtes qu'elles le prétendent. On devine que, derrière la mystérieuse histoire du mariage du comte avec la fille d'un petit armateur, se cache quelque désordre moral. Mme Carré-Lamadon, qui se sent outragée du bonjour de Boule de Suif ce matin-là, est pourtant la «consolation des officiers» (l. 271-272) ; elle a sûrement trompé son mari à plusieurs reprises. Elle se permet de trouver l'officier prussien «pas mal du tout» (l. 1074-1075) et «sembl[e] même penser qu'à [la] place [de Boule de Suif] elle refuserait celui-là moins qu'un autre» (l. 1143-1145). On devine que Boule de Suif ne se permet pas ce genre de pensée tant sa colère et son indignation sont grandes, ce qui la rend moralement supérieure à cette «grande» dame. Elle n'aurait d'ailleurs jamais accepté de coucher avec l'officier si on ne l'y avait poussée. La preuve, c'est que la seule présence des Prussiens dans l'hôtel lui fait repousser les avances de Cornudet. Mais alors qu'elle cède pour leur rendre service, ce sont eux qui jouissent de la situation. Aussitôt qu'ils apprennent sa reddition, «une joie égrillarde empli[t] les cœurs» (l. 1304). Et alors qu'on imagine volontiers que Boule de Suif ne prend pas plaisir à son sacrifice, ils ont des «pensées grivoises» (l. 1329-1330) et s'amusent des blagues de mauvais goût de Loiseau. Cornudet seul ne s'amuse pas, ce qui ne le rend pas moins hypocrite si l'on donne raison à Loiseau (et on peut sans doute le faire au moins en partie) qui affirme que son indignation est motivée par la jalousie.

LES THÈMES

Deux thèmes sont particulièrement importants dans la nouvelle : la guerre et la nourriture.

La guerre

«Le plus stupéfiant, c'est que la société tout entière ne se révolte pas à ce seul mot de guerre.»

Maupassant, *Gil Blas*, 11 décembre 1883.

La guerre franco-prussienne

Maupassant a rapporté de la guerre de 1870 des visions cauchemardesques et un dégoût profond pour la guerre à tout jamais associée à la bêtise, à la cruauté et à la folie meurtrière des hommes. Ce dégoût éclate ici dans la question de Mme Follenvie : «Vraiment, n'est-ce pas une abomination de tuer des gens […] ?» (l. 747-748). Comme dans ses autres récits de guerre (une vingtaine), Maupassant ne met pas en scène des batailles, mais l'invasion et l'occupation. Lorsque, au matin du deuxième jour, les hommes se mettent à la recherche du cocher, c'est ce spectacle de l'occupation qui s'offre à eux alors que les soldats vainqueurs vaquent aux travaux ménagers chez les vaincus qui les hébergent : «[…] entre pauvres gens, faut bien qu'on s'aide…» (l. 845-846), conclut le bedeau. Ce que Maupassant évoque, c'est la France vaincue, humiliée et les réactions des Français face aux vainqueurs, particulièrement celles des petites gens qui font preuve de la plus grande bravoure[1], telle, ici, Boule de Suif.

---

1 Lire à ce sujet «Mademoiselle Fifi», «Le Père Milon», «La Mère Sauvage» et «Deux amis».

La guerre entre Boule de Suif et les autres voyageurs

La guerre franco-prussienne est incarnée par Boule de Suif et l'officier. Celui-ci n'a pas d'identité propre ; il n'est jamais nommé et possède les caractéristiques des vainqueurs : il est arrogant et tyrannique. Il parle avec un fort accent allemand. On le voit très peu ; pourtant, sa présence est constante.

Ce vainqueur exploite ici l'opposition naturelle entre Boule de Suif et les gens mieux nantis. En refusant d'accéder à la demande de Loiseau «de garder Boule de Suif toute seule, et de laisser partir les autres» (l. 1094-1095), il se sert des voyageurs pour la décider et fait ainsi d'eux ses complices. La guerre véritable, au centre de ce récit, c'est celle que livrent les voyageurs à Boule de Suif. Complaisants devant le vainqueur, ils se montrent redoutables devant une pauvre fille naïve. Dans cette guerre, il est notable que ce sont les classes dominantes d'avant la Révolution, le clergé (les religieuses) et la noblesse (le comte), qui apportent les arguments décisifs et qui remportent la bataille finale. Comme si la Révolution française n'était pas achevée. Cornudet reste silencieux et attend son heure.

La nourriture

Pas moins de 11 repas sont mentionnés dans le récit. Si certains ne sont qu'évoqués, cinq d'entre eux occupent une place importante : le premier repas pris dans la diligence, le déjeuner et le dîner du quatrième jour alors qu'on attaque sérieusement Boule de Suif, le dîner du cinquième jour qui marque l'heure de la victoire et le deuxième repas pris dans la diligence.

Mais le repas central du récit est métaphorique ; c'est celui que les voyageurs offrent à l'officier prussien, soit Boule de Suif elle-même. Le surnom même de la courtisane la désigne comme un produit comestible ; une boule de suif est, en effet, une boule de gras. La description qu'en fait

Maupassant accentue ce trait : elle est « grasse à lard », ses doigts sont « pareils à des chapelets de courtes saucisses » (l. 330-332), sa figure est « une pomme rouge ». Il précise même qu'elle est « appétissante » (l. 334). De quoi faire saliver l'officier prussien ! Déjà, dans la diligence, quand les voyageurs ont faim, Loiseau, songeant à la chanson *Il était un petit navire* où l'on tire à la courte paille pour savoir qui sera mangé, suggère « de manger le plus gras des voyageurs » (l. 418-419). Cette allusion à Boule de Suif annonce la suite du récit alors que les voyageurs la consommeront, par personne interposée, en l'offrant en pâture à l'officier. Car, dès leur premier repas, les voyageurs apparaissent comme des bouches voraces : « Les bouches s'ouvraient et se fermaient sans cesse, avalaient, mastiquaient, engloutissaient férocement » (l. 470-471). L'adverbe « férocement » ajoute à l'impression troublante d'être en face de carnassiers déchiquetant leur proie. À ce stade du récit, la vraie proie reste à consommer. Quand, plus tard, les trois femmes « honnêtes » commencent à conspirer contre Boule de Suif, elles le font « avec la sensualité d'un cuisinier gourmand qui prépare le souper d'un autre » (l. 1134-1135). Et quand cet autre, l'officier, mange enfin ce souper, c'est-à-dire Boule de Suif, les cuisiniers voyageurs mangent aussi, participant ainsi symboliquement au déchiquetage de la proie.

L'ÉCRITURE

Le récit est écrit à la troisième personne par un narrateur externe généralement omniscient qui sait, par exemple, que, en écoutant Mme Follenvie parler de la guerre, le comte « [...] song[e] à l'opulence qu'apporteraient dans un pays tant de bras inoccupés [...] » (l. 766-767). Ailleurs, cependant, il restreint ce pouvoir de lire dans les pensées en utilisant des verbes ou des adverbes qui l'atténuent. Ainsi, il écrit que les religieuses offrent « sans doute » au ciel la souffrance occasionnée par la faim (l. 424), que

Mme Carré-Lamadon «semblait» (l. 1143) penser qu'à la place de Boule de Suif elle accepterait de passer une nuit avec l'officier. Ailleurs, il se contente d'émettre des hypothèses quant aux raisons qui poussent la vieille religieuse à participer à la conspiration. Est-ce «l'effet d'une inintelligence heureuse, d'une secourable bêtise» (l. 1217-1218) ? Il ne tranche pas la question.

Ce narrateur externe n'est cependant pas objectif; il prend nettement parti pour Boule de Suif contre les autres voyageurs qui la sacrifient. Les procédés stylistiques qu'il utilise pour décrire chacun varient en fonction de leur personnalité. Ainsi, c'est sans détour qu'il affirme que M. Loiseau est un «fripon madré» et un «filou» (l. 245 et 247) et que Mme Loiseau a «une âme de gendarme» (l. 528) et est «de la nature des orties» (l. 1377-1378). Cette façon de dire, directe, correspond bien à ces petits-bourgeois sans éducation qui manquent souvent de retenue et qui sont peu versés dans l'art de préserver les apparences. À l'égard des autres personnages, le narrateur fait montre d'une ironie souvent cinglante. Dans le cas des Bréville et des Carré-Lamadon, il utilise volontiers l'euphémisme et l'antiphrase qui conviennent bien à ces personnages habitués à utiliser eux-mêmes abondamment ces procédés de diplomates et «ces précautions du langage» (l. 1129). Ainsi, le lecteur comprend que l'«honorabilité indiscutée» (l. 1274) du comte est au contraire très discutable et remise en question par le narrateur qui fait ainsi une antiphrase. Les périphrases «honnêtes gens autorisés qui ont de la religion et des principes» (l. 296-297), «gens comme il faut» (l. 574), «femmes honnêtes» (l. 344) sont également autant d'antiphrases[1] qui tournent en dérision la pseudo-moralité des personnages qu'elles désignent. Quand le narrateur affirme,

---

1 L'antiphrase est un procédé qui consiste à dire le contraire de ce que l'on veut faire entendre.

par ailleurs, que Mme Carré-Lamadon est la «consolation des officiers» (l. 271-272), l'emploi de cet euphémisme[1] est particulièrement heureux puisqu'il ajoute l'idée d'hypocrisie à la réalité de ses infidélités conjugales. Dans le cas de Cornudet qui boit sa bière avec «l'air de remplir l'unique fonction pour laquelle il [est] né» (l. 714) et des religieuses, ces «saintes filles habituées à toutes les soumissions» (l. 630), l'ironie va souvent jusqu'au sarcasme.

L'écriture de Maupassant est très sensuelle. Ses récits sont remplis de sons, d'odeurs, de jeux d'ombres et de lumières. La neige «se déroul[e] sous le reflet mobile des lumières» (l. 594), la pipe de Cornudet «embaum[e] la cuisine» (l. 900-901), le froid «piqu[e] cruellement le nez et les oreilles» (l. 1036-1037), etc. Ce sont souvent des sensations qui renseignent les personnages sur une situation donnée. Ainsi, ce sont aux «heurts d'un fourreau de sabre sur le sol» (l. 605-606) que les voyageurs arrivés à Tôtes comprennent qu'un Allemand les attend à la descente de la diligence et c'est à un «bruit sourd et prolongé, avec des tremblements de chaudière sous pression» (l. 814-816), qu'ils reconnaissent que M. Follenvie s'est endormi. La nouvelle se termine sur une sensation auditive, celle des sanglots de Boule de Suif auxquels se superpose le «sifflement vengeur et monotone» (l. 1518) de *La Marseillaise*.

---

1 L'euphémisme est un procédé qui consiste à atténuer l'expression d'une réalité.

– *LA PARURE*[1] –

LA STRUCTURE

La Parure est divisée en sept sections séparées, dès l'édition originale, par des astérisques. Elle aurait pu se terminer avec la sixième partie dont le dernier paragraphe, une méditation sur le destin, ressemble fort à une conclusion. Mais cette méditation sert plutôt de tremplin à la septième partie qui confère à ce destin déjà dramatique une coloration absurde qui le rend plus dramatique encore. Le lecteur comprend que le «peu de chose» de la dernière phrase de la sixième partie se réfère à la perte du collier. Après la rencontre avec Mme Forestier, ce «peu de chose», c'est plutôt de n'avoir pas su que le collier ne valait que 500 francs. Le récit se termine ainsi sur une chute spectaculaire et, loin de conclure, Maupassant le laisse ouvert. En effet, il ne dit rien de la réaction de Mathilde ni de celle de son mari auquel elle communique sûrement la nouvelle. Mme Forestier leur rendra-t-elle le collier ? Combien le vendront-ils ? Au lecteur d'imaginer la suite de leur vie.

LE CADRE SPATIO–TEMPOREL

Le temps

Le récit respecte l'ordre chronologique. La première partie se réfère à un temps imprécis qui est celui de la vie de Mathilde jusqu'au moment de l'invitation fatidique. Cette vie occupe 1¾ page. Mais l'essentiel du récit, les deux tiers, concerne les jours qui précèdent la fête, la fête elle-même et les démarches du couple jusqu'au moment où Mathilde rend la parure à son amie. Les 10 années suivantes sont résumées en une page, et la scène finale compte également une page. L'accent est donc mis sur les événements entourant la fête qui bouleverse la vie des Loisel. L'équivalence du nombre

---

1 «La Parure» a d'abord été publiée dans *Le Gaulois* en 1884.

de pages des deux dernières parties, c'est-à-dire entre les 10 années de misère et la rencontre de Mme Forestier, fait davantage ressortir le côté dramatique de ces 10 ans.

L'espace et les objets

Les lieux où évoluent les personnages reflètent leur condition sociale. Le logement des Loisel est pauvre et contraste avec les «grands salons vêtus de soie ancienne» (l. 25). À la «misère [de leurs] murs» (l. 15) s'opposent les murailles ornées de tapisseries représentant «une forêt de féerie» (l. 37-38). Tous les objets qu'évoque Mathilde dans la première partie traduisent son désir d'ascension sociale : «hautes torchères de bronze» (l. 22), «larges fauteuils» (l. 23-24), «meubles fins portant des bibelots inestimables» (l. 26), «argenteries reluisantes» (l. 35-36) et «vaisselles merveilleuses» (l. 38-39). Plus loin, quand elle quitte le bal, ses «modestes vêtements» s'opposent aux «riches fourrures» (l. 157-160) des autres femmes et la ramènent à sa «vie ordinaire» (l. 157).

Mais l'objet symbolique par excellence, c'est la rivière de diamants qui représente les deux aspects de la haute bourgeoisie à laquelle Mathilde rêve d'appartenir : sa richesse, parce qu'elle semble cher, et son côté prétentieux et artificiel, parce qu'elle est fausse. Le titre même de la nouvelle est symbolique. Maupassant aurait pu choisir de l'intituler, par exemple, *Le Collier*, ne faisant ainsi que nommer l'objet central du récit. En choisissant «la parure», il ajoute l'idée que le collier pare, c'est-à-dire crée une belle apparence. Dans la mesure où Mathilde rêve de bien paraître, et non d'être, le mot «parure» représente bien les aspirations de son héroïne.

LES PERSONNAGES

Trois personnages importent dans cette nouvelle : M. et Mme Loisel et Mme Forestier. Les autres ne sont que des figurants. Les deux premiers appartiennent à la petite bourgeoisie ; le troisième, à la haute bourgeoisie.

Mathilde Loisel

Tout le drame tient à ce que Mme Loisel aspire à faire partie de la classe sociale qui lui est supérieure alors que le destin l'amène à vivre comme la classe sociale qui lui est inférieure. Cette femme qui se sentait née pour «tous les luxes» (l. 14) devient «la femme forte, et dure, et rude, des ménages pauvres» (l. 276). La nouvelle s'inscrit dans une société fortement hiérarchisée où le passage d'une classe sociale à l'autre s'effectue par l'argent. Or, l'argent appartient aux hommes. Au XIXe siècle, en France, une femme ne peut changer seule de classe sociale. Elle ne peut ni s'instruire ni exercer une profession prestigieuse. Son destin dépend de la dot que lui donne — ou non — son père et qui oriente le choix d'un mari qui, lui, l'inscrit dans la classe sociale à laquelle il appartient. C'est parce que Mathilde n'a pas de dot qu'elle ne peut épouser l'«homme riche et distingué» dont elle rêve et qu'elle voit ses ambitions réduites à la taille du petit commis à qui «elle se laiss[e] marier» (l. 5), apparemment sans plaisir. N'ayant pas les moyens de ses ambitions, Mathilde ne peut que rêver, à l'instar d'Emma Bovary, héroïne du plus célèbre roman de Gustave Flaubert. La ressemblance entre les deux personnages est frappante : toutes deux sont mariées à un homme médiocre incapable de leur apporter le raffinement qu'elles souhaitent et toutes deux sont invitées à un bal qui les grise et dont elles rêveront longtemps après.

Mathilde ne veut pas faire plaisir, mais plaire ; l'amour occupe peu de place dans sa vie. Ainsi, elle préfère ne pas voir Mme Forestier et se priver de son amitié plutôt que de souffrir de dépit devant la richesse de son amie. Elle semble également insensible à l'amour de son mari et aux efforts qu'il déploie pour lui faire plaisir. Quand il lui donne l'invitation au bal, elle le regarde «d'un œil irrité», au lieu de le remercier. Quand il accepte de lui donner 400 francs, elle ne se soucie pas de savoir si ce don l'oblige à quelque privation ; elle adopte plutôt une attitude calculatrice en «songeant [...] à la somme qu'elle pouvait demander sans s'attirer un refus immédiat» (l. 86-87). La scène où Mathilde se regarde dans le miroir, chez Mme Forestier, est sans doute celle qui la représente le mieux. Elle vient de découvrir la rivière de diamants qu'elle a attachée à son cou et, tel Narcisse, elle «demeur[e] en extase devant elle-même» (l. 136). Mais, juste retour des choses, c'est également devant le miroir qu'elle découvre sa déchéance. Au retour du bal, elle veut «se voir encore une fois dans sa gloire» (l. 176-177), et c'est devant son miroir qu'elle se rend compte qu'elle a perdu le collier. Le miroir censé lui renvoyer sa gloire lui renvoie sa déchéance. Ce récit est très moral : Mathilde est punie par où elle a péché. Car, ce qui entraîne sa perte, ce sont son orgueil et sa vanité. C'est parce qu'elle ne veut pas «avoir l'air pauvre au milieu de femmes riches» (l. 112-113) qu'elle emprunte le collier de Mme Forestier ; c'est parce qu'elle ne veut pas qu'on la voie avec ses vêtements modestes qu'elle se sauve, à la fin du bal, et perd le collier ; c'est parce qu'elle craint de passer pour une voleuse qu'elle n'avoue pas à Mme Forestier qu'elle a perdu son bijou. En un mot, c'est pour avoir voulu sauver les apparences que Mathilde est condamnée à 10 ans de travaux forcés.

Cette descente aux enfers, par ailleurs, la fait évoluer. D'abord assommée et sans réaction devant le malheur qui l'accable, Mathilde devient héroïque quand elle en prend son parti. Au lieu de pleurer sur son sort comme elle le faisait depuis le début, c'est sans rechigner qu'elle effectue les travaux réservés jusque-là à sa domestique. Le désir de rembourser sa dette balaie ses rêves d'ascension sociale. La grandeur morale remplace la grandeur sociale.

M. Loisel

M. Loisel représente les fonctionnaires que Maupassant a bien connus quand il travaillait au ministère. L'épithète «petit», qui accompagne le mot «commis» qui désigne sa fonction sociale (l. 5), témoigne de sa médiocrité. Un pot-au-feu l'enchante; «[...] je ne sais rien de meilleur que cela» (l. 34-35), dit-il à son épouse qui, elle, trouverait bien meilleures «la chair rose d'une truite ou des ailes de gélinotte» (l. 40-41). Le principal plaisir de M. Loisel semble être la chasse aux alouettes avec ses amis. Aussi pendant qu'elle «dans[e] avec ivresse», lors du bal, dort-il «dans un petit salon désert» (l. 154). Au retour, sa principale préoccupation est de se retrouver au ministère à 10 h le lendemain. Son manque d'ambition est compensé par une certaine grandeur d'âme. Il semble aimer sa femme, qu'il appelle «ma chérie» (l. 61), se donne une «peine infinie» (l. 63) pour obtenir une invitation au bal, renonce aux 400 francs qu'il se réservait pour la chasse, ne lui fait aucun reproche quand elle perd le collier, sacrifie son héritage de 18 000 francs, «comprom[et] toute la fin de son existence» (l. 237-238) et travaille d'arrache-pied pendant 10 ans pour rendre l'argent emprunté.

Jeanne Forestier

Le personnage de Jeanne Forestier n'est pas très défini. Elle représente ce que Mathilde aimerait être, une femme riche, et, à la fin, ce qu'elle n'est plus, une femme «toujours jeune, toujours belle, toujours séduisante» (l. 289-290). Elle est, par ailleurs, capable de générosité (elle lui prête le collier sans aucune réticence) et de compassion lorsqu'elle apprend le drame de la vie de son amie.

L'ÉCRITURE

Comme *Boule de Suif*, *La Parure* est écrit à la troisième personne par un narrateur externe qui raconte l'histoire au passé. L'imparfait de la première partie rend compte d'une durée, celle des mêmes rêves inscrits dans la même vie médiocre qui se répète jour après jour. L'emploi du passé simple au début de la deuxième partie ainsi que des mots «un soir» indiquent une cassure. La narration de faits précis commence; elle se poursuivra principalement au passé simple jusqu'à la fin. Le présent se retrouve dans les dialogues qui occupent un peu plus du tiers du récit et qui lui confèrent de la vivacité.

Comme dans *Boule de Suif*, aussi, Maupassant sait utiliser l'art du contraste. Nous avons vu que les lieux et les objets s'opposent; les personnages aussi. L'égoïsme de Mathilde s'oppose à la générosité de son mari; son ambition, à sa médiocrité. Quand vient le temps de payer la dette, par ailleurs, ce contraste s'efface, ce que traduit l'utilisation du pronom indéfini «on» : «On renvoya la bonne; on changea de logement; on loua sous les toits une mansarde» (l. 254-256). Les deux époux s'attellent à la même tâche de remboursement, et leur dur labeur les condamne à un enfer commun. Quant aux deux femmes, si elles ont en commun d'avoir étudié au même couvent, elles appartiennent maintenant à deux milieux sociaux différents; l'une est riche et l'autre, modeste puis pauvre.

Un contraste existe également entre l'écriture des parties narratives et celle des dialogues. Les premières contiennent de nombreuses phrases longues où abondent les énumérations et entrecoupées de virgules et de points-virgules qui leur confèrent un rythme souvent ternaire ou quaternaire. Les dialogues emploient plutôt des phrases courtes qui vont à l'essentiel et qui traduisent l'émotion des personnages.

– *Le Horla* –

LA STRUCTURE

Maupassant a écrit deux versions du *Horla*. Dans la première, publiée dans le *Gil Blas* en octobre 1886, un médecin invite un de ses patients fous à faire le récit des événements qui l'ont conduit à la ville. Pour l'essentiel, ces événements se trouvent aussi dans la seconde version, beaucoup plus longue, publiée en mai 1887 dans un recueil auquel *Le Horla* donne son titre. Cette fois, le narrateur rédige un journal intime dans lequel il note les événements à mesure qu'ils surviennent. Il n'y a plus d'intermédiaire entre le personnage et le lecteur ; celui-ci s'identifie donc plus aisément à celui-là et ressent davantage la montée de sa peur. L'effet dramatique est décuplé.

Le journal comprend 39 entrées dont la plus courte, celle du 9 août, compte cinq mots et la plus longue, celle du 16 juillet, plus de cinq pages. Il correspond au schéma narratif suivant.

Étapes	Histoire	Moment de l'action	Moment du récit
Situation initiale	Le narrateur est heureux et tranquille chez lui.	8 mai	8 mai
Élément déclencheur	Élément non perçu : l'arrivée du Horla. Élément perçu : souffrance du narrateur.	8 mai	8 et 12 mai
Péripéties : quête de la cause de sa souffrance	Le narrateur cherche la cause de son mal en lui. Il décrit sa maladie, consulte un médecin et suit un traitement.	Du 12 mai au 3 juin	12, 16, 18 et 25 mai, 2 et 3 juin
	Première fuite : voyage au mont Saint-Michel. Un moine lui parle de l'existence d'êtres invisibles.	Du 3 juin au 2 juillet	2 juillet
	Il commence à situer la cause de son mal à l'extérieur de lui. La nuit, il sent «quelqu'un» qui boit sa vie entre ses lèvres et constate que «on» a bu de l'eau et du lait laissés dans sa chambre.	Du 3 au 10 juillet	3, 4, 5, 6 et 10 juillet
	Seconde fuite : voyage à Paris. Il assiste à une séance d'hypnotisme qui lui apprend qu'un être peut, par suggestion, en dominer un autre.	Du 10 au 29 juillet	12, 14, 16, 19 et 21 juillet
	Le narrateur acquiert la certitude que la cause est à l'extérieur de lui : un être invisible vit près de lui et le domine mentalement.	Du 29 juillet au 15 août	30 juillet, 2, 4, 6, 7, 8, 9, 10, 11, 12, 13, 14 et 15 août
	Tentative ratée de fuite ; il ne peut se rendre à la gare de Rouen.	16 août	16 août
	Aboutissement de la quête : l'être est identifié. Il peut avoir peur, il vient du Brésil et s'appelle le Horla. Le narrateur le voit dans un miroir.	Du 17 au 19 août	17, 18 et 19 août
Conséquence	Le narrateur veut tuer le Horla. Il l'enferme dans sa chambre et met le feu à sa maison.	Du 20 août au 9 septembre	20 et 21 août et 10 septembre
Situation finale	Échec probable : le narrateur doute que le Horla soit mort. Il pense à se tuer.	10 septembre	10 septembre

Le Horla est construit sur une quête. Le narrateur veut comprendre la cause de sa souffrance et celle des phénomènes étranges qui se déroulent dans sa maison. Même ses deux voyages, dont la première fonction est de fuir le phénomène, le font progresser dans sa quête. Le discours du moine le fait réfléchir sur l'existence d'êtres invisibles et l'amène ainsi à comprendre qu'un tel être séjourne sous son toit. La séance d'hypnotisme lui apprend que cet être s'est emparé de sa volonté. Ainsi, tout en l'éloignant de la souffrance que lui cause le phénomène, les voyages le rapprochent de la compréhension de ce même phénomène. En outre, puisque les phénomènes étranges cessent dès qu'il s'éloigne de chez lui et réapparaissent dès qu'il y revient, les voyages lui permettent d'écarter la thèse de la folie et le préparent (ainsi que le lecteur) à croire en la réalité de l'être invisible.

Cette quête conduit le narrateur au Horla, selon une gradation. Il se croit d'abord malade et fait des cauchemars. Puis, il remarque un premier phénomène étrange : sa carafe d'eau est vide, et il ne sait pas qui l'a bue. Trois autres événements étranges lui permettent de cerner le Horla : une rose est cueillie par ce qui semble être une main invisible, les pages d'un livre se tournent toutes seules et, enfin, point culminant du récit, l'image du Horla se substitue à la sienne dans le miroir de sa chambre. Le narrateur a appris à connaître son ennemi, et cette connaissance constitue une arme. Elle lui permet de l'affronter car, pour être en mesure de le détruire, «il faut le connaître, le toucher, le voir !» (l. 800-801). L'affrontement final peut avoir lieu.

À la fin, l'ambiguïté caractéristique des récits fantastiques demeure : le mal est-il à l'intérieur du narrateur ou à l'extérieur ? Est-il fou ou le Horla existe-t-il vraiment ? Tout le récit tend à élucider ce mystère que la dernière phrase laisse pourtant entier. Le récit est parti du narrateur, l'a conduit au Horla et l'a ramené à lui : «[…] il va donc falloir que je me tue, moi !…» (l. 986-987). Si le narrateur songe à se tuer, est-ce pour échapper à un Horla en dehors de lui ou parce que le Horla est en lui et que cela devient la seule façon de le tuer ?

LE CADRE SPATIO-TEMPOREL

Le temps

Un passé récent

La forme du journal implique que le temps soit au centre du récit puisque les moments d'écriture sont datés. Le récit se déroule du 8 mai au 10 septembre d'une année non identifiée, et la narration est linéaire. Le diariste note les événements à mesure qu'ils surviennent, parfois, le jour même et d'autres fois, avec un décalage léger (le lendemain) ou un peu plus important dans le cas du voyage au mont Saint-Michel qu'il ne raconte qu'à son retour, soit le 2 juillet, un mois après son début, le 3 juin.

Le dérèglement du temps

Il est fréquent, dans les récits fantastiques, que le temps se dérègle. Dans *Le Horla*, on note une bizarrerie : les deux occurrences du 19 août. Il est possible qu'un diariste écrive son journal deux fois dans la même journée mais, s'il le fait, il écrit généralement l'heure à côté de la date, ce qui n'est pas le cas ici. Mais l'étrangeté est ailleurs. À la première occurrence du 19 août, il écrit : «Je viens de lire ceci dans la *Revue du Monde Scientifique* [...]» (l. 747-748) et à la seconde : «[...] je me suis assis, hier soir, [...]» (l. 858). Ce «hier soir» se réfère au soir du 18 août. Si la lecture de la revue date effectivement du 19 août, il faut donc qu'elle soit postérieure à celle de la vision du Horla dans le miroir. Le diariste aurait donc dû en faire le compte rendu après. Or, jusque-là, il a toujours respecté l'ordre chronologique des événements ce qui, d'ailleurs, respecte la loi du genre. Ou il a modifié, sans avertir, sa façon de faire, ou il s'est trompé dans les dates. Or, cette «erreur» correspond à un moment où le diariste semble en proie au délire (relisez la fin du texte de la première occurrence) et aux hallucinations (vision dans le miroir), où son angoisse atteint des sommets.

Le resserrement du temps

Si l'on considère la durée de la narration, on peut diviser le texte en deux parties : avant et après le retour de Paris. Chaque partie compte un nombre similaire d'entrées et de pages : 18 entrées et 16 1/2 pages pour la première partie et 21 entrées et 14 pages pour la seconde. Cette division se justifie par une certaine symétrie dans le récit alors que chacune des deux parties commence de la même façon. Le 8 mai, le narrateur écrit : «Quelle journée admirable ! […] je vois la Seine qui coule» (l. 1-12) et, le 2 août : «[…] il fait un temps superbe. Je passe mes journées à regarder couler la Seine» (l. 531-532).

La première partie relate des événements qui se sont déroulés pendant 10 1/2 semaines, soit du 8 mai au 21 juillet, et la seconde, pendant 6 semaines, soit du 30 juillet au 10 septembre. On note donc un resserrement de l'action dans le temps. Le narrateur, qui flânait sous le soleil le 8 mai, peut de moins en moins prendre son temps. Le voyage au mont Saint-Michel dure presque un mois, celui à Paris, 18 jours, et l'escapade à Rouen, quelques heures. Après le retour du narrateur de Paris, les événements s'accélèrent jusqu'au face-à-face ultime. Les plus importants se déroulent en 15 jours, soit du 6 au 21 août, entre l'épisode de la rose et l'incendie de la maison ; or, leur narration occupe plus du tiers du journal, soit 11 1/2 pages dont la moitié est occupée par les deux récits du 19 août. Ainsi, si la durée de la narration n'est pas proportionnelle à celle du récit, elle l'est à l'importance des événements rapportés. Le temps se resserre, et la tension dramatique augmente.

La nuit

Les personnages du fantastique, les fantômes, morts-vivants et autres vampires, appartiennent à la nuit qui entretient et accentue leur mystère. C'est la nuit que, selon la légende racontée par le moine, «on entend bêler deux chèvres» dans les sables du mont Saint-Michel; c'est aussi «par les nuits sombres» que les sorciers évoquent «Celui» qui incarne les terreurs millénaires des «peuples naïfs» (l. 773). Dans *Le Horla*, la nuit s'oppose au jour et prend peu à peu le pas sur lui. Ainsi que le dit Jean à son maître, «[les] nuits […] mangent [les] jours» (l. 226). Le récit, le 8 mai, s'ouvre sur le soleil et se termine, le 10 septembre, sur la nuit; entre les deux, les épisodes de la nuit prennent de plus en plus d'importance, car c'est la nuit que, presque toujours, le Horla se manifeste. Le narrateur est d'abord angoissé à l'approche du sommeil parce qu'il fait ce qu'il croit être d'horribles cauchemars; une nuit, il sent même quelqu'un, accroupi sur lui, qui boit sa vie. C'est la nuit que le Horla, cet être «que la lumière traverse» (l. 820-821), boit l'eau de la carafe, puis le lait, casse des verres, lit un livre et, enfin, dévore le reflet du narrateur dans le miroir. Seuls deux épisodes, ceux de la forêt de Roumare et de la rose, se passent le jour. Dans le premier, cependant, les arbres recréent la nuit en se refermant au-dessus du narrateur pour former «un toit vert, épais, presque noir» (l. 130-131). Le second constitue la seule exception; il est «deux heures, en plein soleil» (l. 542). La lumière y joue le rôle de révélateur. Elle permet d'écarter tout doute possible : le narrateur a bel et bien vu une rose se détacher toute seule de l'arbuste. L'épisode ultime a lieu la nuit. C'est à minuit que le narrateur piège le Horla et met le feu à sa maison. Ce soir-là, il n'y a «pas une étoile». «Tout [est] noir» (l. 940). Quand les flammes embrasent la maison, il semble au narrateur que «le jour se [lève]» (l. 952), ce qui lui fait croire, un instant, que le jour a enfin raison de la nuit. Mais cette victoire est éphémère puisque le narrateur s'avise un peu tard que le corps du Horla, «que le jour travers[e]» (l. 971-972), est sans doute indestructible.

L'espace

Un espace banal et sécurisant…

À l'instar des autres récits fantastiques de Maupassant, *Le Horla* ne se déroule dans aucun des lieux traditionnels des récits fantastiques gothiques et romantiques : souterrains obscurs, châteaux hantés, labyrinthes, etc. Le lieu évoqué le 8 mai est banal, et l'homme qui y vit, loin de le craindre, lui est profondément attaché. Dans les deuxième et troisième phrases, il ne fait qu'un avec sa maison[1] et le platane qui la «couvre»; étendu sous lui, il semble même le prolonger puisque c'est lui qui a des racines qui l'ancrent à la terre. Un sentiment de sécurité se dégage de tout le premier paragraphe; rien ne semble pouvoir ébranler la stabilité de ce lieu et de cette vie. Et pourtant…

… qui devient angoissant.

À cet énorme platane, solide et vertical, s'oppose, dès le deuxième paragraphe, la «Seine qui coule», fluide et horizontale. Or, le narrateur le comprendra plus tard, c'est elle qui, en amenant le Horla, entraînera la destruction de ce lieu auquel l'évocation de Rouen, dans le troisième paragraphe, confère une touche idyllique avec ses cloches qui «sonnent dans l'air bleu» et la brise qui transporte leur «chant d'airain» (l. 20). À partir de ce jour (exception faite du 29 juillet au 4 août), il ne sera plus jamais heureux dans ce lieu. Il en viendra même à ne plus pouvoir le dissocier de son angoisse puisque cette dernière disparaît lorsqu'il s'éloigne et

---

1 Cette maison ressemble à celle de Flaubert à Croisset. Elle est également blanche et située au bord de la Seine, près de Rouen.

réapparaît dès qu'il rentre. Au retour du mont Saint-Michel, il note : «Je suis guéri» (l. 152) et, dès le lendemain : «J'ai mal dormi; [...]». Il en conclut qu'«il y a ici une influence fiévreuse» (l. 220-221). Son deuxième voyage le conduit à la même conclusion : «Nous subissons effroyablement l'influence de ce qui nous entoure» (l. 526-527). C'est qu'à Paris, sur les boulevards, «au coudoiement de la foule», il est «très gai» (l. 317-318); à Bougival, au bal des canotiers, sa croyance en un être surnaturel lui semble «le comble de la folie» (l. 525).

L'envahissement de l'espace

Après ces deux voyages, même les promenades du narrateur au bord de l'eau lui causent «un malaise inexplicable» (l. 609). C'est que tout son territoire est envahi : sa maison, mais aussi son jardin où il affirme avoir vu l'invisible pour la première fois, et les alentours. La forêt de Roumare où, le 2 juin, il va innocemment marcher lui cause «un étrange frisson d'angoisse» (l. 133) quand elle se referme sur lui. Au platane protecteur ont succédé ces «armées d'arbres» (l. 130) qui semblent lui avoir jeté un sort puisqu'il se met, sans raison apparente, à tourner comme une toupie. Son angoisse devient plus forte encore lorsque le Horla envahit son espace mental et qu'il «devient [son] âme» (l. 856), substituant sa volonté à la sienne.

Le rétrécissement et la destruction de l'espace

Comme le temps, l'espace du narrateur s'est peu à peu rétréci. Son premier voyage l'a conduit au mont Saint-Michel, le deuxième, un peu plus près, à Paris, et sa dernière sortie, à Rouen, d'où il a été obligé de revenir chez lui où, jusqu'à l'incendie, on ne le verra plus que dans sa chambre. C'est dans cette chambre que sont réunies les conditions les plus propices à l'apparition du Horla : c'est la nuit, il est seul, l'espace est réduit et souvent fermé à clé, voire à la toute fin, barricadé de persiennes et d'une porte de fer. C'est là aussi — si l'on exclut l'épisode de la rose — qu'ont lieu les moments les plus dramatiques du récit. Le lieu ouvert et idyllique du 8 mai est devenu une prison infernale.

Le récit se termine par la destruction du lieu qui apparaissait pourtant si bien protégé au début du récit : le narrateur brûle sa maison, celle-là même qu'un « énorme platane [...] abrit[ait] et [...] ombrage[ait] » (l. 3). Mais l'ombre est un symbole ambigu. Celle du platane renfermait sans doute aussi une menace.

Un monde d'objets et de couleurs

Les objets jouent un rôle prépondérant dans ce récit parce qu'ils révèlent au narrateur la présence du Horla. C'est parce qu'il voit la carafe vide, la rose se casser sur la tige et s'élever dans les airs, les pages du livre tourner toutes seules que le narrateur suppose la présence de quelqu'un. Dans l'épisode du livre, ce sont les objets qui permettent au narrateur de suivre les déplacements de l'être invisible : le siège se renverse (le Horla vient de se lever et il l'a fait avec précipitation), la table oscille et la lampe tombe (dans sa hâte, il a heurté la table), la fenêtre se ferme (il s'est sauvé par la fenêtre). Mais l'objet par excellence, c'est ce miroir dans lequel le narrateur ne se voit pas et qui lui permet d'apercevoir, enfin, l'ennemi qui le traque depuis le début du récit. D'objet banal, il est devenu un objet fantastique.

Les notations de couleurs sont fréquentes dans le récit : le bleu du ciel, le noir de la nuit, le rouge de la rose, le jaune et le rouge de la flamme, etc. Le blanc, couleur des fantômes, est particulièrement important parce qu'il est associé au Horla. Celui-ci arrive sur un bateau blanc, et c'est la blancheur de la maison du narrateur qui l'attire vers elle ; en plus, il aime le lait. Quand, le 9 juillet, le narrateur enveloppe les carafes d'eau et de lait de mousseline blanche, il ne sait pas qu'il l'attire plus sûrement encore.

LES PERSONNAGES

Le narrateur

Un personnage anonyme

Nous savons peu de choses sur le narrateur. Nous ne connaissons ni son nom ni son âge. Il semble vivre de ses rentes qui sont certainement importantes à en juger par son train de vie : il vit dans une grande maison, a des domestiques et se paie des voyages à volonté. Il fait preuve de curiosité intellectuelle et, sans doute, possède une certaine culture. Il connaît le traité du docteur Hermann Herestauss puisqu'il le demande à la bibliothèque de Rouen et il s'intéresse au discours du docteur Parent sur la folie et l'hystérie. Plusieurs pages de son journal témoignent de sa capacité à jongler avec les concepts, ceux où il réfléchit sur le caractère limité des sens, sur l'existence d'autres êtres, sur la bêtise du peuple qui obéit à des gouvernants qui, eux, obéissent à des principes… C'est également un homme sensuel, sensible «aux odeurs du sol» (l. 9), à «l'air frais, léger et doux» (l. 125-126), au «frémissement» des «herbes de la rive» (l. 606-607). C'est surtout un homme seul qui sera victime de sa solitude. À Paris, il note : «Quand nous sommes seuls longtemps, nous peuplons le vide de fantômes» (l. 315-316). Il ne saurait mieux dire que sa solitude est la condition première de l'émergence du Horla. La deuxième est ce manque d'identité, cet anonymat qui le rend vulnérable à l'envahissement de l'autre. Puisqu'il n'est personne, il peut devenir quelqu'un d'autre. Puisqu'il est vide, l'autre peut occuper son espace intime. C'est ce qui se passe dans l'épisode du miroir ; l'image de l'autre prend la place de la sienne. Pour paraphraser Rimbaud, je est devenu un autre.

Un personnage qui évolue

Jusqu'au 17 août, le narrateur se sent faible face à un Horla tout-puissant qui lui fait peur. Il a une attitude passive : il observe ses états d'âme, qui oscillent entre la gaieté et l'angoisse, il réfléchit, il fuit il ne sait quoi lors de deux voyages successifs et, surtout, il se laisse envahir et dominer par le Horla au point de devenir «un spectateur esclave» (l. 647). Sa tentative ratée de fuite, le 16 août, amène un retournement de situation : puisqu'il ne peut plus échapper au Horla, le narrateur devra l'affronter. C'est ce qu'il fait dès le lendemain, le 17 août. À la vue des pages de son livre qui tournent toutes seules, il devient furieux et, telle une «bête révoltée», il bondit sur son «dompteur» (l. 731) avec l'intention de le tuer. À son grand étonnement, il se rend compte que celui-ci a peur et se sauve. Cette révélation renforce sa puissance en diminuant celle de son ennemi. À partir de là, le narrateur, jusque-là passif, soumis au bon vouloir de son ennemi, devient actif; il pense à le tuer et l'attaque.

Le Horla

Son nom

Le Horla n'est nommé que très tard dans le récit, le 19 août, alors qu'il souffle lui-même son nom au narrateur qui l'écrit sous sa dictée. Avant cette date, le narrateur le désigne de noms génériques (être, être invisible, «inconnaissable», «rôdeur d'une race surnaturelle») (l. 667), ou de pronoms d'abord indéfinis (quelqu'un, on), puis, après l'avoir vu dans l'épisode de la rose, personnels (il, lui) et démonstratif (celui, avec ou sans majuscule).

Il serait trop long de dresser ici la liste des très nombreuses hypothèses qui ont été avancées quant à la signification du mot «Horla». L'une d'elles évoque la ressemblance du nom avec le mot «horsain» qui signifie «étranger» dans le dialecte normand. La plus fréquente et la plus collée au mot met en évidence le fait qu'il est composé de la préposition «hors» et de l'adverbe «là». L'être invisible est hors de toutes les façons : hors la France puisqu'il vient du Brésil, hors la race humaine et hors de la portée du narrateur qui ne l'appréhende que très difficilement et très partiellement. Mais il est aussi là, à côté du narrateur et en lui. Car le Horla, c'est aussi le narrateur, la partie mauvaise de son moi qu'il a expulsée, devenant ainsi, littéralement, hors de lui.

Un être imperceptible par les sens

Le lecteur n'appréhende le Horla qu'à travers le narrateur qui met beaucoup de temps à le connaître puisque celui-ci est invisible. À de nombreuses reprises, le narrateur se plaint du pouvoir limité de «ses sens grossiers et imparfaits» (l. 362-363) — et en particulier de la vue — que «Mille choses [...] trompent et [...] égarent» (l. 818-819). Le Horla est l'une de ces «choses». Aussi est-ce l'effet de sa présence que le narrateur appréhende d'abord et non le Horla lui-même; il a de la fièvre et se sent triste. Puis, c'est paradoxalement par l'absence qu'il acquiert la certitude de sa présence. Si la carafe est vide, si la rose s'élève dans l'air, si les pages du livre tournent, c'est que «quelqu'un» a bu l'eau, est en train de cueillir la rose et de lire le livre. Surtout, si le narrateur ne se voit pas dans le miroir, c'est qu'un être s'interpose entre le miroir et lui.

Un être multiforme

Puisque les sens ne peuvent appréhender le Horla, c'est par association qu'il est révélé. Il est comme le bourreau (l. 98) qu'on attend, comme une sangsue (l. 234) qui boit la vie entre les lèvres, comme un vampire (l. 756). Mais c'est surtout à l'eau que cet être, arrivé par la Seine, est le plus étroitement associé. Quand le narrateur note ses premières manifestations, il utilise des métaphores de l'eau : il tombe dans le sommeil «comme on tomberait pour s'y noyer, dans un gouffre d'eau stagnante» (l. 102-103) et, dans la forêt de Roumare, quand il tourne comme une toupie, il affirme que «la terre flottait» (l. 144). Puis, il se rend compte que le

Horla boit l'eau de la carafe. Enfin, le 19 août, dans le miroir, c'est «à travers une nappe d'eau» que le narrateur commence à se voir, et «cette eau gliss[e] de gauche à droite» (l. 892-893). Dès lors, rien d'étonnant à ce que le narrateur cherche à la détruire par le feu, l'ennemi éternel de l'eau.

Mais, bizarrement, cet être liquide, à la «transparence opaque» (l. 897), est aussi associé à un humain. Il a besoin de boire (mais pas de manger), comme un humain, et il a une morphologie humaine. La nuit, il «regarde», «palpe», «s'agenouille» et «prend le cou [du narrateur] entre ses mains» (l. 109-111). Dans l'épisode de la rose, il semble au narrateur qu'une «main» la cueille et qu'un «bras» la porte à sa «bouche». Plus loin, il lit comme un humain ; assis dans un fauteuil, il tourne les pages d'un livre. Il connaît également, à deux reprises, un sentiment humain, la peur : quand le narrateur bondit sur lui et quand il l'enferme dans sa chambre avant de mettre le feu : «Tout à coup, je compris qu'il s'agitait autour de moi, qu'il avait peur à son tour, […]» (l. 927-928).

Un être puissant

Jusqu'à ce qu'il comprenne que le Horla peut avoir peur, lui aussi, le narrateur le croit tout-puissant. Le Horla est d'ailleurs associé d'emblée à la grandeur et à la puissance puisque le bateau qui l'amène en France est un «superbe trois-mâts […] admirablement propre et luisant» (l. 28-29) qui contraste avec le remorqueur «gros comme une mouche» et les deux goélettes anglaises qui le précèdent. Très vite, et même si le narrateur ne le connaît pas encore, le Horla est associé à «d'inconnaissables Puissances» avec un «p» majuscule (l. 36), puis au vent «qui est la plus grande force de la nature» (l. 211-212). Le Horla est si puissant qu'il s'empare de l'être physique, puis de l'être mental du narrateur auquel il en vient à imposer sa volonté. La succession des pronoms dans le récit est symptomatique : le «il» se substitue peu à peu au «je».

Les personnages secondaires

Les personnages secondaires n'ont aucune épaisseur et ne sont qu'épisodiques. Leur seul rôle est de cautionner la croyance du narrateur en l'existence d'un être invisible. En affirmant que nos sens sont limités et ne peuvent percevoir «la cent millième partie de ce qui existe» (l. 210-211), le moine du mont Saint-Michel confirme qu'il est possible que le Horla existe. En répétant la même chose et en faisant la démonstration de l'hypnose, le docteur Parent lui prouve, à l'aide de Mme Sablé, que cet être peut dominer un être humain. Ces deux personnages, fort crédibles, ajoutent à la véracité du récit. Quant aux domestiques, parce qu'ils ont conscience qu'«on» casse des verres la nuit et parce que Jean, le cocher, souffre du même mal que le narrateur quand celui-ci s'absente, ils légitiment les angoisses de leur maître. Mais ils sont tellement «secondaires» que le narrateur s'en fait le meurtrier en «oubliant» de les avertir qu'il a mis le feu à sa maison !

LES THÈMES

Dans *Le Horla*, Maupassant a exploité plusieurs thèmes populaires à la fin du XIXe siècle, tels la folie, l'hypnotisme, le magnétisme, l'existence d'êtres susceptibles d'envahir la Terre et de dominer l'homme. Mais le thème central du récit, celui qui lui confère son unité et sa cohésion, en est un très fréquent dans la littérature fantastique, le thème du double. Il est partout présent : dans la structure, dans les personnages et dans l'écriture.

Le double structurel

Nous avons déjà vu que le récit peut se diviser en deux parties avec reprise de phrases presque identiques, le 8 mai et le 2 août. Mais c'est par le procédé de la mise en abyme qu'il se redouble le plus sûrement. La séance d'hypnotisme, en effet, constitue une reprise du récit en plus petit.

D'abord, le docteur Parent reprend les propos précédemment tenus par le moine du mont Saint-Michel ; ensuite, il hypnotise Mme Sablé et lui suggère que la carte de visite qu'il lui met dans la main est un miroir dans lequel, au lieu de se voir, elle aperçoit son cousin placé derrière elle. Elle fait ainsi l'expérience que fera ce dernier, un mois plus tard, lorsqu'il verra le Horla, plutôt que lui-même, dans le miroir de sa chambre. En outre, Mme Sablé est soumise à la volonté du médecin comme le narrateur le sera à celle du Horla. Elle n'est pas plus maîtresse d'elle-même quand elle se rend à l'hôtel du narrateur lui emprunter de l'argent le lendemain que ne le sera celui-ci lorsqu'il se sentira obligé de manger des fraises ou de revenir chez lui au lieu de se rendre à la gare de Rouen.

Des personnages doubles

Anonyme, sans frontière identitaire définie, le narrateur, à l'instar du Horla, ne semble pas «posséder de contours nettement arrêtés» (l. 896) ; il se confond avec les autres, tous les autres. Dans certains passages, il se fond dans le grand tout humain. Ainsi, dans le deuxième paragraphe du 12 mai, il entremêle «je» et «nous» ; sa tristesse s'amalgame à la détresse humaine. Le 25 mai, il écrit : «[…] j'attends le sommeil comme on attendrait le bourreau» ; «je» se perd dans un «on» indéfini. Le 5 juillet, son angoisse («Ah ! qui comprendra mon angoisse abominable ?») devient, dans la phrase suivante, celle d'«un homme» : «Qui comprendra l'émotion d'un homme […]» (l. 270-271).

À des degrés divers, tous les personnages sont ses doubles. Ce que le moine dit, le narrateur «l'avai[t] pensé souvent» (l. 219). Pendant son absence «[son] cocher souffre du même mal que [lui]» (l. 220-221). Quand le docteur Parent commence à hypnotiser sa cousine, qui est «comme une sœur» (l. 420) pour lui, c'est lui qui, comme s'il était elle, se sent «un peu troublé, le cœur battant, la gorge serrée»

(l. 386-387). Elle sera par la suite «possédée et dominée» (l. 661-662), exactement comme le narrateur le sera. En plus, dans cette scène, il est lui-même dédoublé puisqu'il se trouve à la fois dans le pseudo-miroir et sur la photographie qu'il sort de sa poche.

Mais le double par excellence, c'est le Horla, invisible pour les yeux et qui n'existe que dans le regard intérieur du narrateur. Au tout début du récit, le 8 mai, le narrateur semble l'avoir inconsciemment appelé puisqu'il écrit «après avoir vu le trois-mâts brésilien : «Je le saluai, [...]» (l. 29). Sur le plan de la syntaxe, le pronom «le» se réfère au bateau, mais comme habituellement, ce sont des personnes qu'on salue, ce «le» semble plutôt désigner le Horla. Par la suite, c'est toute l'écriture du journal qui semble le susciter. Cela est patent dans le choix des images et des pronoms. Ainsi, le 25 mai, le narrateur parle du sommeil comme d'une personne : «[...] j'attends le sommeil comme on attendrait le bourreau» (l. 98), un bourreau «qui [le] guette» et qui va l'«anéantir» (l. 104-105). Puis, il s'endort enfin et rêve que «quelqu'un» veut l'étrangler. Pourtant, quand il se réveille, il est «seul».

Quand, une nuit, il voit sa carafe vide, il se demande s'il est somnambule et réfléchit sur sa dualité :

> «[...] je vivais, sans le savoir, de cette double vie mystérieuse qui fait douter s'il y a deux êtres en nous, ou si un être étranger, inconnaissable et invisible, anime, par moments, quand notre âme est engourdie, notre corps captif qui obéit à cet autre, comme à nous-mêmes, plus qu'à nous-mêmes» (l. 264-269).

Le choix des pronoms atteste de sa confusion : «On a encore bu toute ma carafe cette nuit ; — ou plutôt, je l'ai bue ! Mais, est-ce moi ?» (l. 276-278). Qui est «je» ; qui est «on» ? C'est après qu'il a vu le Horla, dans l'épisode de la rose, qu'il emploie le pronom «il» pour la première fois : «Il a bu l'eau de ma carafe, [...]» (l. 569). Le «on» indéfini est devenu un «il» personnel. Le double s'est détaché du narrateur, mais, paradoxalement, plus le Horla se manifeste à l'extérieur de lui, plus il s'immisce à l'intérieur de lui et le domine. À son retour de Paris, le narrateur écrit d'abord : «Quelqu'un possède mon âme et la gouverne !» (l. 644-645). «Je» et «il» sont alors solidement enchevêtrés : «Je ne peux pas. Il ne veut pas.» (l. 648-649). Puis, un peu plus loin, il franchit un nouveau pas : «Il est en moi, il devient mon âme; [...]» (l. 856). En cherchant l'autre, le personnage s'est trouvé lui-même, car l'autre, c'est lui. Quand il se compare à un malade dont la chair est devenue «liquide comme de l'eau» (l. 638), il ne saurait mieux dire qu'il est le Horla. Quoi d'étonnant alors à ce qu'il aperçoive l'autre au lieu de son reflet dans le miroir ? S'il voit le Horla, c'est que le Horla s'interpose entre son image et lui, mais c'est aussi que le Horla, c'est lui. Le narrateur est à la fois l'autre et lui-même. Leurs images, d'ailleurs, se superposent dans le miroir : «[...] je commençai à m'apercevoir dans une brume, au fond du miroir, dans une brume comme à travers une nappe d'eau; [...]» (l. 890-892). Dans la phrase «[...] il devient mon âme; je le tuerai ! [...]» (l. 856-857), le passage du «mon» au «le» est intéressant car, si «il» est son âme, c'est donc qu'il se tuera lui-même. C'est à cette conclusion qu'il en arrive après avoir vainement tenté de tuer le Horla : «[...] il n'est pas mort... Alors... alors... il va donc falloir que je me tue, moi !...» (l. 985-987). C'est dans la mort que le narrateur trouvera son unité.

Une écriture du double

L'écriture même traduit cette thématique du double puisque le texte renferme de nombreux redoublements. Ainsi, le 6 juillet : «Mais, est-ce moi ? Est-ce moi ?» (l. 278). Le 17 août : «Quelle nuit ! quelle nuit !» (l. 690). Le 10 septembre : «[...] je l'enfermai, tout seul, tout seul !» (l. 932-933) et, plus loin : «[...] il brûlait aussi, Lui, Lui [...]» (l. 964-

965). La dernière phrase, à cet égard, est exemplaire : «Non…
non… sans aucun doute, sans aucun doute… […] Alors…
alors…». Et le récit se termine sur un moi redoublé : «[…]
que je me tue, moi !…» (l. 986-987).

L'ÉCRITURE

L'emploi de la première personne

L'emploi du «je» est très fréquent dans la littérature fantastique. Ici, il se trouve justifié par l'écriture du journal
intime. Il a l'avantage de placer le lecteur au cœur de l'action
et de favoriser son identification au personnage ; l'effet de
distanciation propre aux récits à la troisième personne est
aboli.

Les temps de verbes

Pour raconter ces événements passés, le narrateur a
recours au passé simple, mais utilise plus volontiers le passé
composé, qui rend le récit plus vivant et plus réel. Il lui arrive
aussi d'utiliser le présent, parfois pour faire des réflexions
générales intemporelles comme lorsque, le 14 juillet, il dis-
serte sur la sottise du peuple, mais parfois aussi pour rendre
l'idée de répétition d'une action comme lorsque, le 25 mai,
il parle de la peur qui l'envahit quand, chaque soir, il attend
le sommeil. Ce présent instaure une durée et, dans l'exemple
qui précède, rend plus tangible l'envahissement progressif
de la peur.

Du sens figuré au sens propre

On trouve dans *Le Horla* un procédé fréquent dans la littérature fantastique. Ce procédé consiste à annoncer un
phénomène à venir par le biais d'une métaphore ou d'une
comparaison qui est, par la suite, prise au pied de la lettre,
faisant ainsi passer le récit du sens figuré au sens propre.
Ainsi, le 12 mai, le narrateur écrit : «On dirait que l'air, l'air
invisible est plein d'inconnaissables Puissances, […]» et,

quatre lignes plus bas, «[...] comme si quelque malheur m'attendait chez moi» (l. 35-41). Ce qui semble n'être qu'une comparaison visant à faire comprendre un état d'esprit s'avère, plus loin, la réalité : une Puissance, le Horla, l'attend en effet chez lui. Le 25 mai, le narrateur écrit : «À mesure qu'approche le soir, une inquiétude incompréhensible m'envahit, comme si la nuit cachait pour moi une menace terrible» (l. 81-83). Plus troublante encore est la comparaison qui se trouve dans le paragraphe suivant alors qu'il écrit tomber «dans le repos, comme on tomberait pour s'y noyer, dans un gouffre d'eau stagnante» (l. 102-103). Il ne connaît pas encore le Horla et, pourtant, il le compare à l'eau à laquelle il sera identifié dans l'épisode du miroir. Mais, en ce début de récit, ces allusions au Horla semblent encore n'être que d'anodines figures de style. Dans l'épisode de la rose, cependant, alors que le narrateur a déjà vécu quelques expériences traumatisantes, l'emploi du «comme si» prend une tout autre dimension ; elle rend tangible la présence du Horla et confirme ses soupçons quant à l'existence d'un être invisible : «[...] je vis [...] la tige d'une de ces roses se plier, comme si une main invisible l'eût tordue, puis se casser comme si cette main l'eût cueillie !» (l. 546-549).

Un style près des émotions

Le style du récit épouse les émotions du narrateur. Quand il est en pleine possession de sa tête et de son cœur, il maîtrise également ses phrases. Volontiers longues et ponctuées de sages virgules et points-virgules, elles renferment des subordonnées qui semblent suivre les méandres de son âme tranquille. Ainsi en est-il de l'écriture du 8 mai et de ses deux récits de voyage. Quand, au contraire, il est angoissé et qu'il relate des phénomènes étranges, les phrases sont courtes, voire hachurées et elliptiques et les propositions, juxtaposées plutôt que subordonnées. Le rythme devient saccadé, souvent marqué de groupes ternaires. Les répétitions abondent et la gradation, souvent utilisée, trahit la montée de l'émotion. Le texte est parsemé de points d'exclamation, d'interrogation et de suspension; les deux premiers traduisent la peur et l'incompréhension; les derniers, le doute et l'hésitation. L'écriture du journal du 17 août fluctue ainsi en fonction de l'émotion du diariste. Le début annonce ce qui suivra et, avec son redoublement et ses trois points d'exclamation, traduit l'émotion du personnage qui sera développée dans le septième paragraphe: «Ah! Quelle nuit! quelle nuit!» (l. 690). Mais la narration de l'événement qui a causé cette émotion est précédée d'une réflexion consécutive à la sérieuse lecture qu'il a faite du livre de Hermann Herestauss. Les phrases qui suivent «j'ai lu!» sont sagement alignées, et la dernière du premier paragraphe est longue et renferme trois subordonnées. Les transitions sont correctement assurées: «Mais aucun d'eux [...]»; «Donc, ayant lu [...]». L'écriture du quatrième paragraphe est à mi-chemin entre celle de ce premier paragraphe et celle qui suit. Les phrases sont courtes et multiplient les interrogations directes: «Qui habite ces mondes?». L'énumération («Quelles formes, quels vivants, quels animaux, quelles plantes [...]»), le groupe ternaire («[...] que savent-ils plus que nous? Que peuvent-ils plus que nous? Que voient-ils que nous ne connaissons point?») et la comparaison («[...] comme les Normands [...]») trahissent l'inquiétude du narrateur. Dans le septième paragraphe, quand le narrateur voit les pages du livre tourner toutes seules, l'écriture change radicalement. La répétition de «je vis», «vide» et «bond» ainsi que le pléonasme «je vis de mes yeux» montrent son ahurissement; c'est comme s'il bégayait de peur. La gradation «pour le saisir, pour l'étreindre, pour le tuer!» confère à la phrase un rythme ternaire qui correspond à sa course à travers la chambre. Enfin, les points de suspension, d'exclamation, le point d'interrogation final et le redoublement de «alors» (anagramme de «Horla») renforcent ses émotions de peur et de colère. Quel contraste avec le premier paragraphe !

La Maison de Santé du Dr Blanche
où fut interné Maupassant.

– *La Main*[1] –

LA STRUCTURE

La Main constitue un récit traditionnel, où Maupassant emploie une technique fréquente au XIXe siècle, et que lui-même a utilisée dans de nombreux contes, celle du récit encadré par un autre récit dit encadrant. Un narrateur omniscient parle d'une soirée au cours de laquelle un juge «donn[e] son avis sur l'affaire mystérieuse de Saint-Cloud» (l. 2-3). Ce premier **récit, encadrant,** cède la place à un second dont le narrateur, cette fois, est le juge qui raconte une affaire plus ancienne qui s'est déroulée à Ajaccio. C'est le **récit encadré** qui commence par «J'étais alors juge d'instruction à Ajaccio [...]» (l. 42) et se termine par la phrase «Je ne sais rien de plus» (l. 221). La phrase suivante nous ramène au récit encadrant qui conclut le conte.

Le récit encadré comporte ici trois parties. La première sert d'introduction : le juge raconte les circonstances dans lesquelles il a connu la victime un an avant le crime. La deuxième, qui constitue le cœur du récit, raconte les circons-tances entourant le crime. La troisième, où il est question de la main aperçue dans un cauchemar et retrouvée au cimetière, sert de conclusion.

Tout au long du récit, des indices font avancer le lecteur sur le chemin du surnaturel sur lequel le juge, dès le début, refuse pourtant de s'engager : «Quant au mot "surnaturel" [...], il n'a rien à faire ici» (l. 20-21). Fidèle à son habitude, Maupassant ne tranche pas, et les questions, à la fin, restent sans réponse. Première question : sir Rowell est-il «un fou, ou un mauvais plaisant ?» (l. 156). L'homme qui fume la pipe, dans son jardin, semble tout à fait sain d'esprit. Mais, durant le mois qui précède le meurtre, il adopte des com-portements étranges qui amènent son valet à prononcer, à son sujet, le mot «démence» (l. 199). Autres questions : la

---

1 «La Main» a d'abord été publiée dans *Le Gaulois* en 1883.

main s'est-elle animée ou son propriétaire est-il venu la chercher comme le suppose le juge ? Et, si elle s'est animée, a-t-elle tué sir Rowell ? Au lecteur de trancher. Mais il ne pourra pas le faire de façon définitive.

LE CADRE SPATIO-TEMPOREL

Les repères temporels sont d'abord flous. L'affaire racontée dans le récit encadré a eu lieu dans un «autrefois» (l. 25) vague. Le juge entend parler de l'Anglais «un jour» (l. 57) ; il attend «longtemps» (l. 80) une occasion de lui parler. Lorsqu'il fait sa connaissance, cependant, ces repères se précisent comme pour mieux cerner les événements importants : «Au bout d'un mois» (l. 89), il lui avait parlé cinq ou six fois. Un soir, l'Anglais l'invite à entrer chez lui, puis «Une année entière s'écoul[e]» (l. 165). L'Anglais est tué «vers la fin de novembre» (l. 165-166). «Trois mois après», le juge fait un cauchemar et, «le lendemain», on lui apporte la main trouvée dans le cimetière.

Comme dans ses autres récits fantastiques, Maupassant campe son récit dans un espace réel et en apparence anodin. Le récit encadrant se déroule dans un salon. Le juge «dos à la cheminée» (l. 5) s'adresse à des mondaines qu'on imagine volontiers verre de vin et petits fours à la main. Ajaccio, lieu du crime, est «une petite ville blanche, couchée au bord d'un admirable golfe qu'entourent partout de hautes montagnes» (l. 42-44). Elle apparaît aussi idyllique que le lieu décrit au début du *Horla*. Mais ce caractère idyllique n'est qu'apparent, car Ajaccio est la capitale de la Corse, lieu des sentiments exacerbés et des folles passions, lieu, surtout, de toutes les vengeances et de la terrible vendetta. L'exotisme de la Corse crée un effet d'étrangeté qui accentue le caractère fantastique du récit. C'est à l'intérieur de la maison de Rowell, cependant, que le décor devient inquiétant ; le salon est décoré d'un tissu noir sur lequel courent de grandes fleurs jaunes qui préfigurent la main qui courra plus tard sur les rideaux et les murs de la chambre du juge. C'est dans ce salon que son valet le trouvera mort, étranglé. L'espace banal a cédé le pas à un espace dramatique.

LES PERSONNAGES

La maison de Rowell est à l'image du «personnage singulier» (l. 61-62) qui l'habite et qui possède les principales caractéristiques du personnage fantastique. Comme celui du *Horla*, il est anonyme et il vit seul. Il a un nom, mais le narrateur n'est pas sûr qu'il soit authentique. «Il se faisait appeler **sir John Rowell**» (l. 73), dit-il. À sa mort, on l'enterre dans le cimetière local, «car on n'[a] pu découvrir sa famille» (l. 219-220). Outre qu'il est anglais, on ne connaît rien de ses origines. Le fait qu'il ne va pas à la ville et ne parle à personne empêche d'éclaircir le mystère qui l'entoure et alimente plutôt les rumeurs inquiétantes qui circulent à son sujet. Il aurait peut-être «commis un crime épouvantable [dans] des circonstances particulièrement horribles» (l. 69-70); les «trois revolvers chargés» (l. 159) qu'il garde près de lui, ses exercices quotidiens de tirs au pistolet et à la carabine ainsi que sa phrase "J'avé beaucoup chassé l'homme aussi" tendent à confirmer cette rumeur. À l'opposé, sa politesse (il «remercie vivement» le juge qui lui offre une perdrix) et sa «méticuleuse courtoisie» (l. 95) tendent à l'infirmer. D'autres rumeurs n'en font-elles pas «un haut personnage fuyant sa patrie pour des raisons politiques» (l. 67-68)? Même le juge, qui cherche à se renseigner, ne réussit à «rien apprendre» (l. 73). Enfin, à l'instar d'autres personnages de récits fantastiques, il possède une force et un courage sur lesquels le surnaturel ne semble pas pouvoir avoir de prise. C'est un «grand homme [...] très haut, très large, une sorte d'hercule placide [...]» (l. 85-86).

Le narrateur, **M. Bermutier**, confère au récit sa crédibilité. Le lecteur ne peut mettre en doute la parole de ce juge d'instruction qui prononce des «paroles graves» (l. 10) et qui sourit tantôt «gravement» (l. 31), tantôt «avec sévérité» (l. 227). Même si ce personnage rationnel reconnaît qu'il «sembl[e] se mêler quelque chose de fantastique» (l. 25-26) dans l'affaire qu'il raconte, il refuse jusqu'au bout d'y croire.

Les **femmes** qui l'écoutent contrebalancent sa rationalité par leur caractère émotif. Éprouvant un «insatiable besoin d'épouvante», elles «frissonn[ent]» et «vibr[ent]» (l. 10-12) à son récit qui, à la fin, les laisse «pâles» et «frissonnantes». L'une d'elles refuse alors de souscrire à son explication réaliste.

Les deux attitudes renforcent l'hésitation du lecteur entre les thèses réaliste et fantastique.

La main

La main est décrite avec des détails qui la rendent effrayante, et sa démesure atteste de son caractère fantastique. Ses doigts, en effet, sont «démesurément longs»; le juge note qu'elle a dû appartenir «à un colosse» (l. 139-140) et, pour l'attacher, sir Rowell a eu recours à «une énorme chaîne» (l. 129). À l'instar de nombreux autres objets inanimés présents dans la littérature fantastique (statue, poupée[1], marionnette, couteau, etc.), elle est dotée d'une vie propre. Sir Rowell lui prête une volonté lorsqu'il dit : "Elle voulé toujours s'en aller. Cette chaîne été nécessaire" (l. 153).

Ce n'est pas un hasard si les animaux occupent une place importante dans ce conte. C'est une perdrix morte, symbole de la mort à venir du personnage principal, qui permet au juge d'entrer en contact avec sir Rowell. Celui-ci, amateur de chasse et de pêche, a déjà chassé l'hippopotame, le tigre, l'éléphant et même le gorille. C'est que la main est elle-même associée à un animal, tantôt à un «éléphant en laisse» (l. 131), tantôt à un scorpion ou une araignée. Il est vrai qu'elle a appartenu à un homme, mais elle en est détachée et, pour sir Rowell, l'homme est un animal et «le plus

---

1 Plus près de nous, pensons à la poupée maléfique Chucky, personnage de films américains populaires il y a quelques années.

mauvais» (l. 110) qui soit. L'Anglais la frappe avec une cra-vache comme s'il voulait dompter quelque animal sauvage, animal qui aura finalement raison de lui puisque le récit laisse entendre que la main l'a étranglé : "On dirait qu'il a été étranglé par un squelette", note le médecin (l. 186). Comme un animal, la main s'est par la suite sauvée, est revenue et a «galop[é] autour de [l]a chambre [du juge] en remuant les doigts comme des pattes» (l. 216-217) avant de se rendre sur la tombe de sa victime au cimetière.

LES COULEURS

On trouve dans *La Main* les mêmes couleurs que dans *Le Horla* : blanc, noir, rouge et jaune. À la maison blanche qui avait attiré le Horla correspond la ville blanche d'Ajaccio. Ce blanc s'oppose au noir, symbole de la mort : noir de la soie du salon de sir Rowell, noir de sa figure une fois mort et noir de la main qui est mise en opposition avec «une main de squelette, blanche et propre» (l. 124). Cette main noire se détache du carré de velours rouge sur lequel elle est posée ; couleur du sang et symbole de violence, le rouge se trouve également dans les cheveux et la barbe de sir Rowell. Quant aux fleurs jaunes, elles brillent «comme du feu», symbole de la destruction qui rappelle l'incendie du *Horla*.

L'ÉCRITURE

L'écriture de *La Main*, par ailleurs, contraste avec celle du *Horla*. Dans *Le Horla*, le narrateur est la victime ; son écriture traduit ses états d'âme et toute la subjectivité de son point de vue. Ici, le narrateur est un témoin extérieur, objectif, qui raconte les événements sur un ton neutre, dénué d'émotion. On ne trouve ni le rythme saccadé, ni les phrases hachurées, ni les nombreux points d'exclamation, d'interrogation et de suspension du *Horla*. Le propos est mesuré et le récit, or-donné, avec toutes les transitions nécessaires ; les «or, bientôt, donc, cependant, enfin, alors, puis», etc. y sont nombreux.

JUGEMENTS

«Je pense souvent à Guy de Maupassant. Celui-là me semble être le meilleur conteur du XIXe siècle.»

Somerset Maugham cité par Armand Lanoux,
Maupassant le bel-ami.

«Comme celui de Voltaire, comme la nouvelle de Mérimée, le conte de Maupassant fait de l'homme ou une mécanique triste ou un pantin comique.»

Fernand Lemoine, *Guy de Maupassant.*

«Pessimiste mais sans trémolos de désespoir, athée déterminé mais sans ostentation, flaubertien dans son diagnostic de la bêtise, c'est l'homme de l'eau, de la nature, de la passion et aussi de la maladie, du malheur. Mallarmé s'enchantait de sa limpidité. Cent ans après sa mort, on peut le lire et le relire sans cesse, on ne s'en lasse jamais, on s'y émerveille toujours.»

Introduction à un dossier sur Maupassant
paru dans le *Magazine littéraire*, n° 310, mai 1993.

«*Boule de Suif* est certainement la meilleure des six [nouvelles des *Soirées de Médan*], elle a un aplomb, une tenue, une finesse et une netteté d'analyse qui en font un petit chef-d'œuvre. Du reste, elle a suffi, dans le public lettré, pour mettre Maupassant au premier rang, parmi les jeunes écrivains d'avenir.»

Émile Zola, *Le Figaro*, 11 juillet 1881.

«Critique du bourgeois installé, qui tremble pour son argent et qui est prêt à pactiser avec l'occupant, par crainte de la révolution. Critique du "démocrate" Cornudet, grossier et lâche. Des femmes dites honnêtes, habitées de tentations et bardées de principes. Des religieuses, se prêtant à l'infamie au nom du Bon Dieu. "Boule de Suif" dit l'effondrement de toutes les valeurs hypocritement prônées, avant que le souci de conservation personnelle devienne le seul qui compte : manger les provisions de la prostituée et la jeter dans les bras de l'officier allemand va de soi, alors, pour ces personnages que Maupassant n'a pas inventés.»

Marie-Claire Bancquart, *Boule de Suif*, 1984.

«Maupassant donne à voir, et, le plus souvent, donne à voir le journalier, le lieu commun, qui se met à grouiller d'angoisse. On n'échappe pas à son insolite en se disant qu'il est exceptionnel : ses victimes sont au contraire les hommes les plus ordinaires ; son décor est le nôtre. On ne lui échappe pas en se disant qu'il est impossible : il se fond à des sensations dont nous avons éprouvé au moins le début ; il naît des éléments les plus indiscutables. Expérience de transgression, il est bien difficile de déterminer où elle commence à l'être.»

Marie-Claire Bancquart,
«Maupassant conteur fantastique»,
dans *Archives des lettres modernes*, n° 163.

PLONGÉE

DANS
L'ŒUVRE

Le *Bel-Ami*, yacht de Maupassant.

Questions sur *Boule de Suif*

Avant le départ et la première journée (p. 9 à 39)

COMPRÉHENSION

1. Comparez l'armée française et l'armée prussienne telles qu'elles sont décrites dans les premières pages de la nouvelle.

2. Maupassant n'aime pas les bourgeois. Relevez deux passages qui le montrent dès les premières pages.

3. Relevez un passage dans lequel Maupassant expose le dégoût que lui inspire la guerre.

4. Expliquez le sens de la phrase suivante : «Mais à chaque porte des petits détachements frappaient, puis disparaissaient dans les maisons» (l. 88-89).

5. Dans le paragraphe de la page 16 qui commence par «Cependant on n'attelait pas la voiture» et dans les deux paragraphes suivants, Maupassant se sert de sensations pour décrire les événements.
   a) Quelles sont les sensations décrites ?
   b) Pourquoi Maupassant procède-t-il de cette façon ?
   c) Quelle partie de phrase nous indique que le cocher se prépare à mettre les harnais sur le cheval ?
   d) Quelle partie de phrase nous indique que les harnais sont placés sur le cheval ?

6. Maupassant fait une pause dans le récit pour faire les portraits de ses personnages. Pourquoi les portraits débutent-ils à la page 18 plutôt qu'ailleurs ? Montrez que la place de ces portraits n'est pas arbitraire et que Maupassant a pris soin de la justifier par le récit lui-même.

7. À partir de la phrase «Tous les regards étaient tendus vers elle» (l. 441) et jusqu'à la ligne 502, il est plusieurs fois question du regard. Expliquez ce passage de la page 26 ainsi que les quatre autres que vous relèverez.

8. À la page 34, M. Follenvie appelle Boule de Suif de son vrai nom, Élisabeth Rousset. C'est la première fois que ce nom est prononcé dans le récit. Pourquoi ?

9. Pourquoi Boule de Suif refuse-t-elle, le premier soir, de faire part à ses compagnons de voyage de l'entretien qu'elle vient d'avoir avec l'officier et de la demande qu'il lui a faite ?

CONTEXTE SOCIOHISTORIQUE

10. Relisez la section consacrée au contexte historique. Expliquez le sens des mots et phrases suivants :

   a) M. Carré-Lamadon «était resté, tout le temps de l'Empire, chef de l'opposition bienveillante […]» (l. 266-268). De quel Empire est-il question ? Pourquoi M. Carré-Lamadon y est-il opposé ?

   b) «[…] le comte Hubert représentait le parti orléaniste» (l. 284-285). De quel parti est-il question ? Est-il étonnant que le comte le représente ?

   c) «Cornudet, le démoc, […] attendait impatiemment la République […]. Au quatre septembre, […] il s'était cru nommé préfet ;» (l. 309-317). Quelle est l'allégeance politique de Cornudet ? De quel quatre septembre est-il question ?

   d) Cornudet attaque Napoléon III et «Boule de Suif aussitôt se fâcha, car elle était bonapartiste» (l. 562-563). Expliquez le sens de cette phrase à partir des allégeances politiques des deux personnages.

11. Quelles sont les sources de revenu des trois hommes riches ? Correspondent-elles à la réalité sociale expliquée dans la section «Le contexte social», aux pages 132 à 135.

PERSONNAGES

12. Relisez les pages 12-14 et la page 29. Comparez l'attitude de Boule de Suif devant les envahisseurs prussiens et celle des autres habitants de la ville.

13. Identifiez le voyageur qui compare les flocons de neige à «une pluie de coton» (l. 231).

14. Que nous révèle la phrase suivante au sujet de Mme Carré-Lamadon : «Elle […] regardait d'un air navré l'intérieur lamentable de la voiture» (l. 273-275) ?

15. Relisez le portrait de Cornudet, aux pages 21 et 22.

   a) Il est dit qu'il est «la terreur des gens respectables» et, plus loin, qu'il est «inoffensif». Comment expliquez-vous cette apparente opposition?

b) Il est dit aussi qu'après avoir organisé la défense autour de la ville, «satisfait de ses préparatifs, il s'était vivement replié vers la ville». Que nous apprend cette phrase sur Cornudet?

16. Étudiez la façon selon laquelle les passagers de la diligence en viennent à manger les provisions de Boule de Suif et l'ordre dans lequel ils le font. Cette façon et cet ordre vous semblent-ils logiques?

17. Dans quel ordre les personnages quittent-ils la diligence? Que révèle leur attitude sur chacun d'eux?

ÉCRITURE

18. Des pages 9 à 14, Maupassant situe le récit dans son contexte. Séparez cette séquence en quatre parties.

19. Identifiez les figures de style suivantes:

a) «la rue muette.» (l. 53-54)

b) «[…] une masse noire descendit de la côte Sainte-Catherine, […]» (l. 59-60)

c) «[…] les officiers de hussards bleus, qui traînaient avec arrogance leurs grands outils de mort […]» (l. 114-116)

d) «l'odeur de l'invasion.» (l. 122-123)

e) «[…] et l'entassement des lourds vêtements d'hiver faisait ressembler tous ces corps à des curés obèses avec leurs longues soutanes.» (l. 168-170)

f) «Un rideau de flocons blancs» (l. 190)

g) «La jolie dame […] déclara d'une voix mourante qu'elle se sentait fort bien maintenant.» (l. 495-497)

h) «[…] parlant peu et mangeant beaucoup.» (l. 529)

i) «[…] tous ces gens qui fuyaient rendirent hommage au courage des autres.» (l. 532-533)

j) «Je les regardais […] ces gros porcs […]» (l. 543)

k) «[…] un officier allemand […] serré dans son uniforme comme une fille en son corset, […]» (l. 616-619)

l) «[…] Loiseau poussant devant lui sa grande moitié.» (l. 632-633)

m) «C'était un ancien marchand de chevaux, […] qui avait toujours des sifflements, des enrouements, des chants de glaires dans le larynx.» (l. 663-666)

n) «Elle se troubla, réfléchit une seconde, puis déclara carrément: […]» (l. 674-675)

o) «[…] on la pria, on la pressa, on la sermonna, […]» (l. 685-686)

p) «L'homme, râlant comme une locomotive crevée, […]» (l. 720)

q) «Quand il y a des gens qui font tant de découvertes pour être utiles, faut-il que d'autres se donnent tant de mal pour être nuisibles!» (l. 745-747)

r) «[…] quand on extermine nos garçons comme du gibier, […]» (l. 751-752)

s) «Le gros homme riait, toussait, crachait; […]» (l. 772)

t) «Alors toute la maison devint silencieuse.» (l. 811)

20. Dans la phrase suivante, que désignent les mots en italique «[…] les officiers de hussards bleus, qui traînaient avec arrogance leurs *grands outils de mort* sur le pavé, […]» (l. 114-116)?

21. Relisez le paragraphe de la page 17 qui commence par «La voiture avançait lentement, lentement, à tout petits pas».

   a) Pourquoi Maupassant répète-t-il l'adverbe «lentement» dans cette première phrase?

   b) Dans ce paragraphe, relevez un redoublement, une personnification, une énumération et une comparaison.

22. Dans le paragraphe suivant, relevez une antithèse et une métaphore.

23. Relevez trois marques d'ironie dans les pages 9 à 11.

24. Aux pages 21 et 22, faites ressortir les marques d'ironie dans les deux phrases qui commencent par «Depuis vingt ans […]» et qui se terminent par «consommations révolutionnaires».

Du deuxième au sixième jour (p. 40 à 62)

COMPRÉHENSION

25. À la lumière des deux paragraphes qui la précèdent, expliquez le sens de la phrase «C'est les grands qui font la guerre» (l. 846).

26. Dans le paragraphe des pages 41-42 consacré à Cornudet, montrez que Maupassant présente Cornudet sous un jour caricatural.

27. Montrez en quoi la réaction de Cornudet, de Loiseau et de M. Carré-Lamadon au discours du bedeau correspond bien à ce qu'ils sont (l. 847-850).

28. Quand ils discutent politique, (l. 895-896), Maupassant écrit : «L'un croyait aux d'Orléans, l'autre à un sauveur inconnu».
    a) Qui est «l'un» et qui est «l'autre» ? Justifiez votre réponse.
    b) Cornudet se contente d'écouter. Pourquoi ?

29. Comparez et expliquez la réaction de Boule de Suif et celle des femmes honnêtes quand elles rencontrent l'officier prussien dans la rue (l. 1068-1077).

30. Expliquez ce que vous comprenez du sentiment maternel de Boule de Suif (l. 1085-1090).

31. Pourquoi, alors qu'ils sont d'abord fâchés de la demande du Prussien, les «honnêtes gens»
    a) retournent-ils leur colère contre Boule de Suif ?
    b) décident-ils de l'inciter à accéder à sa demande ?

32. Comparez l'attitude de Boule de Suif face à la prière (l. 1161-1163) et celle des religieuses.

33. Aux pages 51 à 54, quels sont les arguments invoqués par les compagnons de Boule de Suif pour la faire fléchir ?

34. En quoi l'euphorie des voyageurs à l'annonce du sacrifice de Boule de Suif est-elle à la fois compréhensible et choquante ?

35. En disant «Ils sont trop verts, mon vieux, ils sont trop verts» (l. 1360-1361), Loiseau compare l'attitude de Cornudet à celle du renard de la fable de La Fontaine. Lisez cette fable et expliquez le lien que Loiseau fait entre les deux.

> *Le renard et les raisins*
> *Certain renard gascon, d'autres disent normand,*
> *Mourant presque de faim, vit au haut d'une treille*
> *Des raisins mûrs apparemment*
> *Et couverts d'une peau vermeille.*
> *Le Galant en eût fait volontiers un repas;*
> *Mais comme il n'y pouvait atteindre:*
> *«Ils sont trop verts, dit-il, et bons pour des goujats.»*
> *Fit-il pas mieux que de se plaindre?*

ÉCRITURE

36. Identifiez les figures de style suivantes:
    a) «rat d'église» (l. 836)
    b) «On voulait peut-être les garder comme otages [...] ou les emmener prisonniers? ou, plutôt, leur demander une rançon considérable?» (l. 947-950)
    c) «Vous lui direz à cette crapule, à ce saligaud, à cette charogne de Prussien, que jamais je ne voudrai; [...]» (l. 973-975)
    d) «[...] ces gens-là se conduisaient à la façon des anciens barbares.» (l. 987-988)
    e) «[...] avec un espoir indéterminé, un désir plus grand de s'en aller, une terreur du jour à passer dans cette horrible petite auberge.» (l. 1014-1016)
    f) «Nous n'allons pourtant pas mourir de vieillesse ici.» (l. 1101)
    g) «sainte fille en cornette» (l. 1241)
    h) «femme aux chapelets pendants» (l. 1243)
    i) «[...] la figure ravagée, crevée de trous sans nombre, paraissait une image des dévastations de la guerre.» (l. 1258-1260)
    j) «On donnait à la graine semée la veille le temps de germer et de pousser ses fruits.» (l. 1266-1267)
    k) «Mme Loiseau, qui était de la nature des orties, [...]» (l. 1377-1378)
    l) «[Les] pigeons [...] cherchaient leur vie dans le crottin fumant [...]» (l. 1393-1397)

m) «[…] leurs lèvres se mirent à remuer vivement, se hâtant de plus en plus, précipitant leur vague murmure comme pour une course d'*oremus*; […]» (l. 1444-1446)

n) «[…] des parcelles de jaune clair qui semblaient, là-dedans, des étoiles.» (l. 1470-1471)

o) «gredins honnêtes» (l. 1480)

p) «[…] deux grosses larmes […] les suivirent plus rapides coulant comme les gouttes d'eau qui filtrent d'une roche, […]» (l. 1489-1492)

37. Maupassant utilise beaucoup le pronom «on». Qui est désigné par ce pronom dans le paragraphe de la page 51 qui commence par «Aussitôt à table, on commença les approches»?

38. Dans le récit du dîner du quatrième soir, aux pages 53 et 54, relevez deux phrases écrites
   a) en style direct;
   b) en style indirect libre.

39. À l'aide des pages 55 à 58, dressez le champ lexical de la joie au dernier dîner.

QUESTIONS DE SYNTHÈSE
SUR *BOULE DE SUIF*

40. Relisez la biographie de Maupassant. Quels liens faites-vous entre la vie de Maupassant et *Boule de Suif* ?

41. Relisez, dans le contexte social, la section consacrée à la prostituée. Quels traits de la prostituée s'appliquent à Boule de Suif ?

42. Résumez la nouvelle en deux pages, en une page et en deux phrases.

43. Relevez un sommaire, une pause, une scène et une ellipse dans *Boule de Suif*.

44. Le mardi matin, «Une lueur sale filtrait à travers de gros nuages» alors que, le dimanche, il fait soleil. Faites un lien entre ces renseignements météorologiques et les événements relatés.

45. Relevez les passages où la neige est présente. Que signifie-t-elle ?

46. Deux passages de la première journée rendent le refus de Boule de Suif vraisemblable et son sacrifice, dramatique. Lesquels ? Pourquoi ?

47. Aux pages 49 et 50, Mme Loiseau et son mari emploient une série de termes péjoratifs pour désigner Boule de Suif. Quels sont-ils ? Comparez-les au «charmante compagne» dont use M. Loiseau à la page 27. Expliquez cette différence de désignation.

48. Faites un lien entre la couleur de la barbe de Cornudet et
    a) la bière qu'il boit ;
    b) le véritable nom de Boule de Suif.
    Expliquez ces liens.

49. Relevez
    a) les trois passages où l'on voit l'officier prussien ;
    b) des moments où l'officier se manifeste sans toutefois être présent.

50. Relevez des objets particulièrement significatifs dans la nouvelle. Dites en quoi ils le sont.

51. Relisez, dans le contexte littéraire, la section consacrée au réalisme. Expliquez en quoi la nouvelle se rattache à ce courant.

EXTRAIT 1

Lignes 1123 à 1163

COMPRÉHENSION

1. Situez l'extrait dans la nouvelle.

Lexique

2. Définissez les mots suivants : scabreuses, bardée, polissonne, grivoiseries, blocus, duplicités.
3. À la ligne 1133, cherchez les différents sens du mot «tripoter». Montrez que Maupassant en fait un usage particulièrement heureux.
4. Cherchez les deux sens de l'adjectif «risqué». Montrez que les deux sens se superposent dans : «Le comte trouva des plaisanteries un peu risquées, [...]».
5. Repérez les champs lexicaux
   a) de la nourriture ;
   b) de la guerre ;
   c) de la gaieté ;
   d) de l'hypocrisie ;
   e) du langage.

Propos

6. Résumez chaque paragraphe en une phrase ou deux.
7. Quel est le propos général de l'extrait ?
8. a) Quelle est la seule phrase qui exprime clairement le propos de l'extrait ?
   b) Cette phrase est-elle prononcée par l'un des personnages ?

PERSONNAGES

9. Les personnages mettent le langage et le silence au service de leur hypocrisie. Montrez comment, pour camoufler leurs vraies pensées,
   a) certains personnages utilisent le «bien dit» ;
   b) d'autres, le «non dit».
10. En quoi la proposition relative «dont on ne se blessa point» montre-t-elle l'hypocrisie des personnages ?

11. Quand le narrateur dit que Cornudet reste «complètement étranger à cette affaire», que veut-il dire ? Si on prend «étranger» dans le sens de «non concerné», y est-il vraiment étranger ?

12. Expliquez le sens de «La comtesse, plus assouplie que les autres aux duplicités des salons [...]».

13. En quoi l'attitude de Boule de Suif, dans le quatrième paragraphe de la page 51, fait-elle ressortir par contraste l'hypocrisie des personnages ?

ÉCRITURE

14. Trois paragraphes sont très courts : le premier, le cinquième et le septième. Montrez
    a) l'importance du premier paragraphe ;
    b) en quoi la forme des cinquième et septième paragraphes correspond bien au fond.

15. Le récit est au passé. Que distingue l'emploi du passé simple de celui de l'imparfait ?

16. Maupassant utilise beaucoup le pronom «on». Qui ce «on» désigne-t-il ? Quel effet crée-t-il dans l'extrait ?

17. Relevez une antithèse dans le deuxième paragraphe et montrez en quoi elle fait ressortir l'hypocrisie des femmes dans cet extrait.

18. Relevez deux métaphores filées. Expliquez en quoi elles permettent à Maupassant, à l'instar de ses personnages, de dire sans dire et donc de créer une adéquation entre la forme et le fond.

19. Relevez une litote dans le troisième paragraphe. Montrez en quoi elle convient bien au caractère hypocrite du personnage.

20. À part le «Chut» que profère le comte, seules deux phrases, prononcées à haute voix, sont en style direct. Lesquelles ? En quoi cette absence presque totale de discours direct sert-elle le propos du texte ?

21. Montrez que le ton de la conversation contraste avec ce qui est dit et que ce contraste fait ressortir l'hypocrisie des personnages.

22. Quel adjectif prononcé par la comtesse trahit l'état d'esprit des personnages qui viennent de se taire «brusquement» et qui essaient de faire bonne figure devant Boule de Suif ?

23. Quel effet crée la répétition de la conjonction «et» dans le quatrième paragraphe de la page 51?

ANALYSE LITTÉRAIRE

Montrez que cet extrait, autant par le fond que par la forme, met en évidence l'hypocrisie des personnages.

DISSERTATION EXPLICATIVE

Montrez que, dans cet extrait, les personnages sont conformes à ce qu'ils sont depuis le début de la nouvelle.

EXTRAIT 2

Lignes 1205-1262

ANALYSE LITTÉRAIRE

En vous appuyant sur les procédés stylistiques mis en œuvre dans cet extrait, faites ressortir le contraste qui existe entre le ton ironique du narrateur et les affirmations autoritaires de la religieuse.

DISSERTATION EXPLICATIVE

Dans ce passage, la religieuse devient excessive, autant dans son attitude que dans ses propos, et cet excès contraste avec sa réserve depuis le début du voyage. Expliquez ce changement d'attitude.

QUESTIONS SUR *LA PARURE*

COMPRÉHENSION

1. Expliquez le sens de la phrase suivante : «Leur finesse native, leur instinct d'élégance, leur souplesse d'esprit sont leur seule hiérarchie, et font des filles du peuple les égales des plus grandes dames» (2ᵉ paragraphe, p. 65).

2. Donnez à chacune des sept parties de la nouvelle un titre qui la résume.

3. Résumez la nouvelle en une page, puis en une phrase ou deux.

ÉCRITURE

4. Faites le schéma narratif de la nouvelle.

5. En vous inspirant du tableau de la page 160, dressez un tableau en quatre colonnes :
   1) moment de la fiction ;
   2) durée de la fiction ;
   3) événements ;
   4) durée de la narration.

6. Relevez
   a) deux sommaires ;
   b) trois scènes ;
   c) trois ellipses.

7. Relevez, à la fin des cinquième et sixième parties ainsi qu'au début de la septième partie, des phrases écrites dans un style indirect libre.

EXTRAIT 3

Lignes 142 à 211

COMPRÉHENSION

1. On peut diviser ce texte en trois parties. Identifiez-les et donnez un titre à chacune.

2. Le bal représente un moment très important dans la vie de Mathilde. Pourquoi n'occupe-t-il que deux paragraphes ?

3. Résumez cet extrait en un court paragraphe.

4. Pourquoi le ministre ne fait-il que remarquer Mathilde, sans plus ?

5. À quel moment précis Mathilde sort-elle de la vie de rêve pour revenir à sa vie de tous les jours ?

6. Quel est le sens symbolique de «[...] elle [...] descendait rapidement l'escalier» et «Ils descendaient vers la Seine» ?

7. Le coupé qui ramène les Loisel chez eux revêt une valeur symbolique. Montrez-le.

8. Montrez que le nom de leur rue, des Martyrs, a également une valeur symbolique.

9. Relevez les champs lexicaux a) du bonheur et b) du malheur. À quel moment de l'histoire chacun correspond-il ?

10. Énumérez, sur deux colonnes, toutes les oppositions que vous trouvez dans ce texte.

ÉCRITURE

11. Étudiez la forme des trois dernières phrases du premier paragraphe (l. 144-146). Quelles gradations remarquez-vous ?

12. Remarquez-vous une différence dans la construction des paragraphes des première et troisième parties de cet extrait, parties que vous avez identifiées à la question n° 1 ?

13. Observez bien la longue phrase qui constitue le deuxième paragraphe de l'extrait. Montrez la concordance entre la construction de cette phrase et ce qu'elle exprime.

14. Que traduit la brièveté des phrases de la troisième partie de l'extrait ?

15. Par quels procédés stylistiques Maupassant fait-il sentir l'affolement des Loisel qui constatent la disparition du bijou ?

16. Montrez la concordance de la forme avec le fond dans les deux phrases «Et ils cherchèrent [...]. Ils ne la trouvèrent point» (l. 185-186).

17. À quoi correspond l'absence de dialogue dans les deux premières parties et sa présence dans la troisième partie de l'extrait?

18. Observez les temps de verbe. Quelle différence remarquez-vous entre les deux premiers paragraphes et le reste de l'extrait?

QUESTIONS DE SYNTHÈSE SUR *LA PARURE*

19. Situez l'extrait dans l'ensemble de la nouvelle. Montrez-en l'importance.

20. Quelles sont les tonalités successives de l'extrait?

ANALYSE LITTÉRAIRE

Montrez que cet extrait est construit sur des oppositions dans le fond et dans la forme.

Questions sur *Le Horla*

Première partie (du 8 mai au 21 juillet)

COMPRÉHENSION

1. Résumez, en une phrase chacune, les pages de chacune des dates de cette partie du récit.

2. On note un changement d'humeur chez le narrateur entre le 8 et le 12 mai. Expliquez ce changement.

3. En quoi la réflexion du 12 mai sur les limites de nos sens prépare-t-elle la suite du récit ?

4. Quel fragment de phrase du journal du 12 mai nous indique que le narrateur situe l'origine de son mal en lui ?

5. Quels fragments de phrases du journal du 25 mai et du 2 juin indiquent que le narrateur commence à situer le mal hors de lui ? Notez-vous une évolution entre ces deux fragments ?

6. Le 2 juin, quels fragments nous indiquent que le narrateur est étourdi ?

7. Quels sont les éléments fantastiques présents dans le récit du voyage au mont Saint-Michel (2 juillet) ?

8. En quoi le passage sur le vent, à la page 85, prépare-t-il la suite du récit ?

9. Expliquez comment évolue le thème du double dans les pages du 5 au 10 juillet.

10. Les réflexions du narrateur, le 14 juillet, sont-elles gratuites ou entretiennent-elles un lien avec le reste du récit ?

11. Le narrateur écrit, le 21 juillet : «Croire au surnaturel dans l'île de la Grenouillère, serait le comble de la folie… mais au sommet du mont Saint-Michel ?» (l. 524-526). Pourquoi ?

ÉCRITURE

12. Dans le journal du 8 mai, relevez le champ lexical du bonheur.
13. Dans le journal du 12 mai, relevez le champ lexical du malheur.
14. Dans le journal des 12, 16 et 25 mai, relevez le champ lexical du mystère.

15. Dans le journal du 25 mai,
    a) quelles figures de style traduisent, dans le deuxième paragraphe, l'horreur vécue par le narrateur ?
    b) le narrateur utilise des points de suspension dans les deuxième et troisième paragraphes. Qu'expriment-ils ?
    c) le narrateur, pour la première fois du récit, fait allusion à un être ; par quel mot cet être est-il désigné ?
    d) quels mots du quatrième paragraphe expriment son impuissance et par quels procédés sont-ils mis en évidence ?
    e) quels mots confèrent à cet être une morphologie humaine ?
    f) le texte est écrit au présent. Quelle est la valeur de ce présent ? Signifie-t-il que le narrateur est en train de vivre ce qu'il écrit ? Quel effet ce présent crée-t-il ?
    g) relevez le champ lexical de la peur et de l'horreur.
16. Dans le journal du 2 juin,
    a) relevez le champ lexical de la peur ;
    b) un changement s'opère dans l'espace qui devient soudain menaçant. À quel moment s'opère ce changement ? Quels mots désignent la menace ? Quelles phrases indiquent que le narrateur est désorienté ?
    c) quels procédés stylistiques indiquent, dans le cinquième paragraphe, l'état d'égarement du narrateur ?
17. Quel mot du journal du 3 juillet se réfère au fantastique ?
18. Quels sont les procédés stylistiques mis en œuvre dans le long paragraphe du 5 juillet, le cinquième, pour traduire le profond désarroi du narrateur ?
19. Quelles différences remarquez-vous entre le style du journal du 5 juillet et celui du 12 juillet ?
20. Identifiez les figures de style suivantes :
    a) « un remorqueur, gros comme une mouche » (l. 24-25)
    b) « un remorqueur [...] qui râlait de peine en vomissant une fumée épaisse, [...] » (l. 24-26)
    c) « Elles sont des fées [...] » (l. 58)
    d) « entre deux armées d'arbres » (l. 129-130)
    e) « [...] je me suis réveillé, tellement meurtri, brisé, anéanti, [...] » (l. 234-235)
    f) « [...] il la puisait dans ma gorge, comme aurait fait une sangsue. » (l. 233-234)

g) «On a encore bu toute ma carafe cette nuit; — ou plutôt, je l'ai bue !» (l. 276-277)

h) «Comme notre tête est faible et s'effare, et s'égare vite, [...]» (l. 32)

i) «Les pétards et les drapeaux m'amusaient comme un enfant.» «Le peuple est un troupeau imbécile, [...]» (l. 327-330)

j) «[...] tantôt stupidement patient et tantôt férocement révolté.» (l. 330-331)

k) «[...] les inventions les plus médiocres, les plus stupides, les plus inacceptables [...]» (l. 371-372)

Deuxième partie (du 30 juillet au 10 septembre)

COMPRÉHENSION

21. Résumez en une phrase les pages qui correspondent à chacune des dates de cette deuxième partie du journal.
22. Dans le journal du 6 août, montrez que le texte est construit
    a) sur une opposition : le narrateur appréhende par le regard un être invisible, donc imperceptible par le regard ;
    b) sur une alternance entre le doute et la certitude.
23. Dans le journal du 7 août, relevez un passage a) argumentatif ; b) empreint de sensualité ; et c) lyrique.
24. Dans le journal du 8 août, pourquoi le narrateur affirme-t-il que le Horla est plus redoutable lorsqu'il ne se manifeste pas que lorsqu'il le fait ?
25. Dans le journal du 17 août,
    a) à la fin du quatrième paragraphe, à quoi fait référence la phrase «Un d'eux […] n'apparaîtra-t-il pas sur notre terre pour la conquérir, comme les Normands jadis traversaient la mer pour asservir des peuples plus faibles» (l. 712-715) ?
    b) on assiste à un retournement de situation. Quel est-il ?
26. Dans le journal du 17 et du 19 août (première entrée), relevez le champ lexical des animaux. Pourquoi a-t-il tant d'importance ?
27. Dans le journal du 19 août (première entrée), expliquez le sens des phrases suivantes situées vers la fin de ce texte : «Ah ! l'éléphant, l'hippopotame, que de grâce ! Le chameau, que d'élégance !».
28. Dans le huitième paragraphe du 10 septembre, pourquoi le narrateur écrit-il que le bûcher est «horrible et magnifique» (l. 963) ?

ÉCRITURE

29. Dans le journal du 6 août,
    a) quels procédés stylistiques traduisent la peur au premier paragraphe ?
    b) montrez l'importance de la notation «en plein soleil» dans le deuxième paragraphe.
    c) montrez que, au troisième paragraphe, deux épithètes, qui se rapportent aux fleurs, traduisent le changement opéré

dans l'âme du narrateur.

d) quel mode et quel temps de verbe traduisent l'incertitude du narrateur ?

30. Identifiez les figures de style suivantes :

a) « Je ne serais donc, en somme, qu'un halluciné raisonnant. » (l. 584-585)

b) « […] une force occulte m'engourdissait, m'arrêtait, m'empêchait d'aller plus loin, me rappelait en arrière. » (l. 610-612)

c) « […] m'épiant, me regardant, me pénétrant, me dominant […] » (l. 621-622)

d) « […] les os devenus mous comme la chair et la chair liquide comme de l'eau. » (l. 637-638)

e) « […] quel est-il, cet invisible ? cet inconnaissable, ce rôdeur d'une race surnaturelle ? » (l. 666-667)

f) « J'ai pu m'échapper […] comme un prisonnier qui trouve ouverte, par hasard, la porte de son cachot. » (l. 675-677)

g) « […] sur ce grain de boue qui tourne délayé dans une goutte d'eau. » (l. 717-718)

h) « D'un bond furieux, d'un bond de bête révoltée, qui va éventrer son dompteur, […] » (l. 730-731)

i) « […] le vent […] qui siffle, qui gémit, qui mugit, […] » (l. 811-812)

j) « […] son corps plus fin […] que le nôtre, qui vit comme une plante et comme une bête, […] » (l. 825-829)

k) « […] un bûcher horrible et magnifique, un bûcher monstrueux, […] » (l. 962-963)

l) « corps d'Esprit » (l. 976)

31. Relevez une métaphore filée dans le texte du 7 août.

32. Relevez cinq groupes ternaires dans le deuxième paragraphe du journal du 14 août. Précisez quels effets ils créent.

33. Dans le journal du 19 août (première entrée),

a) relevez un groupe ternaire, une gradation, une comparaison et une métaphore ;

b) expliquez la présence des points de suspension au moment où le Horla crie son nom au narrateur.

34. Dans le paragraphe qui commence par « Soudain le toit tout entier […] » (10 septembre), relevez deux périphrases et deux métaphores qui désignent la maison en flammes.

QUESTIONS DE SYNTHÈSE
SUR *LE HORLA*

1. Résumez la nouvelle en une page, puis en quelques phrases.
2. Au début et à la fin du récit, le narrateur se trouve devant sa maison. Comparez ces deux moments en tenant compte de l'impression générale, du temps, du lieu, des arbres, du personnage, des éléments dominants et des champs lexicaux du bien-être, pour le premier, et de l'horreur, pour le second.
3. Le récit oscille entre des moments de calme et des moments d'angoisse. Relevez quatre passages où le calme précède l'angoisse.
4. Dans les textes du 25 mai, du 2 juin, du 7 et du 13 août, relevez une figure de style (comparaison, métaphore ou métaphore filée) qui utilise l'eau comme comparant.
5. Relevez les passages qui contiennent un dialogue. Pourquoi en trouve-t-on si peu ?
6. Le récit se termine sans que le doute ait été dissipé : le narrateur est-il fou ou le Horla existe-t-il vraiment ? Quels sont les arguments qui penchent en faveur de l'une et de l'autre hypothèses ?
7. Relisez les parties du contexte sociohistorique et de l'œuvre de Maupassant qui concernent le fantastique. Quels aspects du *Horla* sont fréquents dans les récits fantastiques ?

Extrait 4

19 août (seconde entrée), lignes 858 à 901

COMPRÉHENSION

1. Résumez chaque paragraphe en une phrase.
2. Pensez-vous que le narrateur peut mettre à exécution l'intention qu'il exprime à la fin du premier paragraphe ?
3. Le narrateur a-t-il des raisons objectives de croire en la présence du Horla ?
4. Montrez la transformation émotive du personnage du début à la fin du texte.
5. Le narrateur tend un piège au Horla, mais c'est lui qui est piégé. Expliquez.
6. Montrez que, par un retournement de situation, certains attributs ou actions du Horla sont prêtés au narrateur et vice-versa.
7. Le lecteur doute de la santé mentale du narrateur. Quels arguments plaident en faveur de sa lucidité et lesquels, en faveur de sa folie ?
8. Comme c'est souvent le cas dans les récits fantastiques, la formule «comme si», dans le troisième paragraphe (l. 867), annonce un événement improbable, mais qui va pourtant se produire par la suite. Expliquez.
9. Montrez que, comme dans tout récit fantastique, le cadre spatio-temporel se dérègle. Insistez sur le rôle du miroir.
10. Montrez que ce texte est marqué par l'absence.

ÉCRITURE

11. Faites le schéma narratif de cet extrait.
12. Montrez que le début de l'extrait annonce sa conclusion.
13. Selon vous, qu'est-ce que le narrateur fait semblant d'écrire ? En quoi cela constitue-t-il une mise en abyme ?
14. Montrez que le récit alterne entre des passages émotifs et des passages descriptifs.
15. Dans les passages émotifs, quels procédés sont mis en œuvre pour exprimer l'émotion ?

16. Pourquoi le cinquième paragraphe commence-t-il par «donc»?
17. Relevez les champs lexicaux
    a) de la peur;
    b) de la lumière;
    c) de la vue.
18. Relevez deux énumérations dans le premier paragraphe. Quel effet créent-elles?
19. Dans le septième paragraphe, trouvez une métaphore, deux comparaisons et un oxymore. Quelle idée évoquent ces figures?
20. Relevez tous les verbes qui expriment un doute. Quel temps de verbe domine?

QUESTIONS DE SYNTHÈSE SUR L'EXTRAIT

21. Quelle est l'importance de cet extrait dans la nouvelle?
22. Quelle tonalité domine dans cet extrait?
23. En quoi cet extrait se rattache-t-il au courant fantastique?

ANALYSE LITTÉRAIRE

Montrez que l'ambiguïté est partout présente dans cet extrait.

DISSERTATION EXPLICATIVE

Le narrateur est peut-être lucide, peut-être fou. Expliquez cette affirmation en vous basant d'abord sur cet extrait et en élargissant ensuite à l'ensemble de la nouvelle.

EXTRAIT 5

6 AOÛT, lignes 538 à 568

ANALYSE LITTÉRAIRE

Faites l'analyse littéraire de cet extrait de façon à montrer qu'il oscille entre le doute et la certitude.

DISSERTATION EXPLICATIVE

Plusieurs éléments de cet extrait le rattachent au courant fantastique. Montrez-le.

QUESTIONS SUR *LA MAIN*

COMPRÉHENSION

1. Dans le récit encadrant du début,
   a) identifiez le champ lexical du fantastique;
   b) de l'inexpliqué;
   c) quelle différence le juge fait-il entre le fantastique et l'inexpliqué?
2. Faites le schéma narratif du récit encadré.
3. Relevez tous les détails qui amènent à penser que le meurtre de sir Rowell constitue une vengeance.
4. Le récit se termine sur deux explications du meurtre, l'une réaliste et l'autre, fantastique. Quelles sont-elles?
5. Relevez les indices de l'explication fantastique, ceux qui conduisent à penser que la main est vivante et que c'est elle qui a tué sir Rowell.
6. Montrez en quoi le choix de l'adjectif «minutieuse» accolé à «enquête» (l. 210) accrédite l'explication fantastique.

ÉCRITURE

7. Identifiez les figures de style suivantes:
   a) «[…] besoin d'épouvante qui […] les torture comme une faim.» (l. 12-13)
   b) «[…] les rumeurs sur son compte continuaient, grossissaient, devenaient générales, […]» (l. 76-77)
   c) «De grandes fleurs jaunes couraient […]» (l. 117)
   d) «de sang pareil à une crasse» (l. 126-127)
   e) «meilleur ennemi» (l. 135)
   f) «débris humain» (l. 139) en parlant de la main.
8. Dans le paragraphe de la page 123 qui commence par «Or, une nuit, trois mois après le crime, […]», relevez une personnification, deux comparaisons, un groupe ternaire et une périphrase.
9. Un procédé couramment utilisé dans les récits fantastiques consiste à désigner le phénomène fantastique par des précautions oratoires plutôt qu'à affirmer son existence de façon catégorique. Ce procédé permet de maintenir le doute qui fonde ce type de récit. Trouvez cinq exemples de ce procédé aux pages 122-123.

Extrait 6

Lignes 165 à 220

ANALYSE LITTÉRAIRE

Dans cet extrait, montrez que tout conduit à une explication fantastique que, pourtant, le juge refuse.

❧ Annexes ❧

TABLEAU CHRONOLOGIQUE		
	ÉVÉNEMENTS HISTORIQUES ET SCIENTIFIQUES	ÉVÉNEMENTS LITTÉRAIRES ET CULTURELS
1850		*Un Enterrement à Ornans*, œuvre du peintre Courbet, apparaît comme le manifeste du réalisme en peinture.
1851	Coup d'état de Louis-Napoléon Bonaparte.	*La Dame aux camélias*, pièce de Dumas fils.
1852	Bonaparte devient Napoléon III. Début du Second Empire.	*Les Illuminés*, de Nerval. *Émaux et Camées*, poésie de Théophile Gautier.
1853		*Les Châtiments*, de Victor Hugo.
1856	1854-1856 : guerre de Crimée.	*Histoires extraordinaires* d'Edgar Allan Poe, traduction de Baudelaire.
1857		*Madame Bovary*, roman de Gustave Flaubert. *Les Fleurs du mal*, poésie de Baudelaire. *Les Glaneuses*, tableau de Millet.
1859	Guerre d'Italie. *L'origine des espèces*, de Darwin.	*La Légende des siècles*, de Victor Hugo.
1860	Décès de Schopenhauer.	*Le Voyage de M. Perrichon*, pièce d'Eugène Labiche.
1862		*Les Misérables*, roman de Victor Hugo. *Salammbô*, roman de Gustave Flaubert.
1863		*Cinq semaines en ballon*, roman de Jules Verne.

TABLEAU CHRONOLOGIQUE

Vie et œuvre de Maupassant	Événements littéraires au Québec	
Naissance de Guy de Maupassant.		1850
		1851
	1845 à 1852 : François-Xavier Garneau publie *Histoire du Canada depuis sa découverte jusqu'à nos jours*.	1852
	Charles Guérin, roman de Chauveau.	1853
Naissance d'Hervé, frère de Guy.		1856
		1857
		1859
Les parents de Maupassant se séparent. La mère s'installe à Étretat avec ses deux enfants.	Naissance du mouvement littéraire de Québec.	1860
	Jean Rivard, le défricheur, roman d'Antoine Gérin-Lajoie. Création de *Félix Poutré*, drame de Louis Fréchette.	1862
Guy devient pensionnaire au séminaire d'Yvetot.	*Les Anciens Canadiens*, roman de Philippe-Aubert de Gaspé. *Forestiers et voyageurs*, de Joseph-Charles Taché.	1863

TABLEAU CHRONOLOGIQUE	
ÉVÉNEMENTS HISTORIQUES ET SCIENTIFIQUES	ÉVÉNEMENTS LITTÉRAIRES ET CULTURELS
1866	*Poèmes saturniens*, poésie de Verlaine. *Les Lettres de mon moulin*, contes d'Alphonse Daudet. *La Vie parisienne*, opérette de Jacques Offenbach.
1868	
1869 Ouverture du canal de Suez.	*L'Éducation sentimentale*, de Flaubert.
1870 Début de la guerre franco-allemande.	*Le Déjeuner sur l'herbe*, tableau de Cézanne.
1871 La Commune de Paris. Signature du traité de Francfort.	Zola inaugure son cycle des Rougon-Macquart avec *La Fortune des Rougon*.
1872	*Les Canotiers à Chatou*, peinture de Renoir.
1873 Mac Mahon devient président de la IIIᵉ République. Il inaugure le régime d'Ordre moral.	*Une saison en enfer*, poésie de Rimbaud. *Contes du lundi*, d'Alphonse Daudet. *Le Tour du monde en quatre-vingts jours*, de Jules Verne.
1874	Première exposition des peintres impressionnistes. Monet y expose *Impression, soleil levant*. *Carmen*, opéra de Bizet. *Les diaboliques*, de Barbey d'Aurevilly. *Illuminations*, poèmes de Rimbaud.
1875 Constitution de la IIIᵉ République.	Ouverture du nouvel Opéra de Paris.

TABLEAU CHRONOLOGIQUE

Vie et œuvre de Maupassant	Événements littéraires au Québec	
	Mémoires, de Philippe-Aubert de Gaspé.	1866
Chassé du séminaire d'Yvetot, Maupassant entre au lycée Corneille, à Rouen. À l'été, il fait la rencontre du poète anglais Charles Swinburne.		1868
En août, il obtient un baccalauréat en philosophie. En octobre, il entreprend des études en droit.		1869
Ses études de droit sont interrompues par la mobilisation.	*La Voix d'un exilé*, pamphlet politique en vers de Louis Fréchette.	1870
		1871
Il entre au ministère de la Marine.		1872
		1873
	Une de perdue, deux de trouvées, roman de Georges de Boucherville.	1874
Publication du conte *La Main d'écorché*.		1875

TABLEAU CHRONOLOGIQUE		
	ÉVÉNEMENTS HISTORIQUES ET SCIENTIFIQUES	ÉVÉNEMENTS LITTÉRAIRES ET CULTURELS
1876	Invention du téléphone par Graham Bell. *La Science expérimentale,* de Claude Bernard.	*Le Moulin de la Galette,* peinture de Renoir. *L'Après-midi d'un faune,* de Mallarmé.
1878		
1880	14 juillet : première Fête nationale. Premiers véhicules automobiles.	*Le Penseur,* sculpture de Rodin. Décès de Flaubert. Zola, *Le Roman expérimental,* essai, et *Nana,* roman.
1881	Loi sur la liberté de la presse.	*Le Déjeuner des canotiers,* peinture de Renoir.
1882	L'enseignement primaire devient obligatoire.	
1883		*Le Golfe de Marseille vu de l'Estaque,* peinture de Cézanne.
1884	Une loi rétablit le divorce.	
1885	Charcot publie *Leçons sur les maladies du système nerveux.*	*Germinal,* de Zola.
1886		Dernière exposition des impressionnistes. *Le Baiser,* sculpture de Rodin. Traduction française de l'essai de Schopenhauer, *Le Monde comme volonté et comme représentation.*

TABLEAU CHRONOLOGIQUE

Vie et œuvre de Maupassant	Événements littéraires au Québec	
Il publie un conte, *En canot*, qui sera repris, plus tard, sous le titre *Sur l'eau*.		1876
Il entre au ministère de l'Instruction publique.		1878
Boule de Suif paraît dans *Les Soirées de Médan*. En mars, parution d'un recueil de poésie. À l'automne, voyage en Corse avec sa mère.	Création de *Papineau*, drame de Louis Fréchette. Première visite de Sarah Bernhardt à Montréal.	1880
La Maison Tellier, recueil de contes de Maupassant.	*Angéline de Montbrun*, roman de Laure Conan.	1881
Mademoiselle Fifi, recueil de contes de Maupassant.	*Œuvres complètes*, d'Octave Crémazie.	1882
Contes de la bécasse et *Clair de lune*, recueils de contes, et *Une Vie*, roman de Maupassant.		1883
Clair de lune, *Miss Harriet*, *Yvette* et *Les Sœurs Rondoli*, recueils de contes de Maupassant.	Fondation de *La Presse*.	1884
Contes du jour et de la nuit, *Toine*, recueils de contes, et *Bel-Ami*, roman de Maupassant.		1885
Toine et *La Petite Roque*, recueils de contes de Maupassant. Voyage en Angleterre.		1886

TABLEAU CHRONOLOGIQUE		
	ÉVÉNEMENTS HISTORIQUES ET SCIENTIFIQUES	ÉVÉNEMENTS LITTÉRAIRES ET CULTURELS
1887		*Autoportrait,* de Van Gogh. *Jeunes filles au piano,* tableau de Renoir. Fondation du Théâtre-Libre par Antoine. *Poésies complètes,* de Mallarmé.
1888		*Autoportrait à l'oreille coupée,* peinture de Van Gogh. *Tête d'or,* pièce de Claudel. *Ubu roi,* pièce d'Alfred Jarry.
1889	Exposition universelle de Paris. Inauguration de la tour Eiffel.	*Le Christ jaune,* peinture de Gauguin. *Bal du Moulin de la Galette,* peinture de Toulouse-Lautrec.
1890	Branly invente la T.S.F.	*Champ de blé aux corbeaux* et *Champ de blé au faucheur,* peintures de Van Gogh. *Cinq poèmes de Baudelaire,* musique de Debussy.
1892		
1893	Vague d'attentats anarchistes.	
1899		
1900		

TABLEAU CHRONOLOGIQUE

Vie et œuvre de Maupassant	Événements littéraires au Québec	
Mont-Oriol, roman, et *Le Horla*, recueil de contes de Maupassant. Voyage en Afrique du Nord.	*La Légende d'un peuple*, poésie de Louis Fréchette.	1887
Pierre et Jean, roman, et *Le Rosier de M*^{me} *Husson*, recueil de contes de Maupassant. Voyage en Algérie.		1888
La Main gauche, recueil de contes, et *Fort comme la mort*, roman de Maupassant. Décès de son frère Hervé.		1889
L'Inutile beauté, recueil de contes, et *Notre cœur*, roman, de Maupassant.		1890
Tentative de suicide et internement dans la clinique du docteur Blanche.		1892
Décès de Maupassant, le 6 juillet.	*Originaux et détraqués*, contes de Louis Fréchette.	1893
Le père Milon, recueil posthume de contes.		1899
Le colporteur, recueil posthume de contes.		1900

Bibliographie

Sur l'histoire et la société du XIXᵉ siècle

CORBIN, Alain. *Les Filles de noce*, Paris, Flammarion, 1982, 494 p.

DUPEUX, Georges. *La Société française 1789-1960*, Paris, Librairie Armand Colin, coll. «U», 1964, 296 p.

GEORGES-ROUX. *La Guerre de 1870*, Paris, Librairie Arthème Fayard, 1966, 374 p.

MIQUEL, Pierre. *Histoire de la France*, Paris, Librairie Arthème Fayard, 1976, 643 p.

Sur la littérature fantastique

CASTEX, Pierre-Georges. *Le Conte fantastique en France de Nodier à Maupassant*, Paris, Librairie José Corti, 1951, 466 p.
Lire en particulier le chapitre VIII, «Maupassant et son mal», p. 365 à 394.

STEINMETZ, Jean-Luc. *La Littérature fantastique*, Paris, Presses universitaires de France, coll. «Que sais-je?», nº 907, 1990, 126 p.

TODOROV, Tzvetan. *Introduction à la littérature fantastique*, Paris, Seuil, 1970, 189 p.

Sur Maupassant et son œuvre

BANCQUART, Marie-Claire. «Maupassant conteur fantastique», dans *Archives des lettres modernes*, nº 163, Paris, Minard, 1976.

DIZOL, Jean-Marie. *Guy de Maupassant*, Toulouse, éd. Milan, coll. «Les Essentiels», Milan, nº 78, 1997, 63 p.

LANOUX, Armand. *Maupassant le bel-ami*, Paris, Librairie Arthème Fayard, 1967, 460 p.

«Maupassant II. Autour du Horla», dans *L'École des lettres*, nº 12, 15 juin 1994, 108 p.

LEMOINE, Fernand. *Guy de Maupassant*, Paris, éd. Universitaires, coll. «Classiques du XIXᵉ siècle», 1957, 140 p.

«Dossier», dans *Magazine littéraire*, nº 310, mai 1993, p. 16 à 97.

MALRIEU, Joël. *Le Horla de Guy de Maupassant*, Paris, Gallimard, coll. «Foliothèque», nº 51, 1996, 193 p.

RACHMÜHL, Françoise. *Le Horla et autres contes fantastiques. Maupassant*, Paris, Hatier, coll. «Profil d'une œuvre», nº 84, 1992, 79 p.

THUMEREL, Thérèse et Fabrice. *Maupassant*, Paris, Armand Colin, coll. «Thèmes et œuvres», 1992, 160 p.

TROYAT, Henri. *Maupassant*, Paris, Flammarion, 1989, rééd. «Le Livre de poche», nº 7348, 1991, 340 p.

VIEGNES, Michel. *Boule de Suif, La Parure*, Paris, Hatier, coll. «Profil d'une œuvre», nº 192, 1996, 79 p.

Sur l'analyse littéraire

BATAÏNI, Marie-Thérèse et Marie-Josée DION. *L'Analyse littéraire : un art de lire et d'écrire*, Mont-Royal, Modulo Éditeur, 1997, 264 p.